The stories of the Kosoado Woods

ふしぎな木の実の料理法

岡田 淳

理論社

もくじ

絵❀岡田 淳

1 ドーモさんが小包(こづつみ)をはこんできた

みわたすかぎり、雪野原です。

「こそあどの森、か」

郵便配達のドーモさんは、たちどまって、ふうと白い息をつきました。

「いいところなんだけどなあ。ちいっとばかり郵便局から遠いってのが欠点だよなあ」

ふりかえると、ドーモさんの足あととそりのあとが、なだらかにうねる雪の上にずうっとつづいています。そりをひっぱるロープを右の肩から左にうつし、ドーモさんはまた歩きだしました。ひと足ごとに足首ぐらいまでうずまる雪のかたさです。空はくもっていますが雪はふってはいません。

「こそあどの森、こそあどの森」

ドーモさんはひくい声でつぶやきながら一歩一歩進んでいきました。いつのまにか声にふしがついて、歌になっていました。

「この森でもなければ

その森でもない
あの森でもなければ
どの森でもない
こそあどの森　こそあどの森」
歌を十回ほどくりかえすと、丘の上に
出ました。そこでようやく森がみえました。

ポットさんはおくさんのトマトさんと
午後の紅茶をのもうとしているところでした。
「どうかした？」
トマトさんがたずねました。
ポットさんがカップを口にはこびかけた
手をとめて、耳をうごかしていたからです。

「きこえないかい？」

トマトさんも耳をすましました。すると歌らしいものがきこえてきました。なんとかでもなければかんとかでもないといっているようにきこえます。

「だれかしら」

「きいたような声だね」

「あれがだれだか、あててみて」

トマトさんにそういわれて、ポットさんがうーんと考えこんだとき、きゅうに歌がとぎれ、かわりに大きなくしゃみがきこえました。つづいてわあっというさけび声と、どさどさと雪のおちる音がしました。くしゃみの音で、木の枝につもった雪がおちてきたのにちがいありません。

ポットさんとトマトさんは顔をみあわせてたちあがりました。ドアをあけて外をみると、むこうの大きな木の下に雪の山ができていました。

「わたし、あれがだれだかわかったわ！」トマトさんがさけびました。

「郵便配達(ゆうびんはいたつ)のドーモさんよ！」

「どうしてわかったんだ」長ぐつをはきながらポットさんがたずねました。

「あの青いそりにみおぼえがあるからよ！」

「すごい推理(すいり)だ」

　スコップをかけがねからはずしながら、ポットさんは感心(かんしん)してみせました。ほんとうはポットさんにもわかっていたのです。

「すごいでしょ、すごいでしょ、ねえ、キスして！」

　ポットさんはいすをはこんできて、それにのって背(せ)の高さをあわせると、トマトさんのほっぺたにキスをしました。それから、ドーモさんをほりだしにいきました。

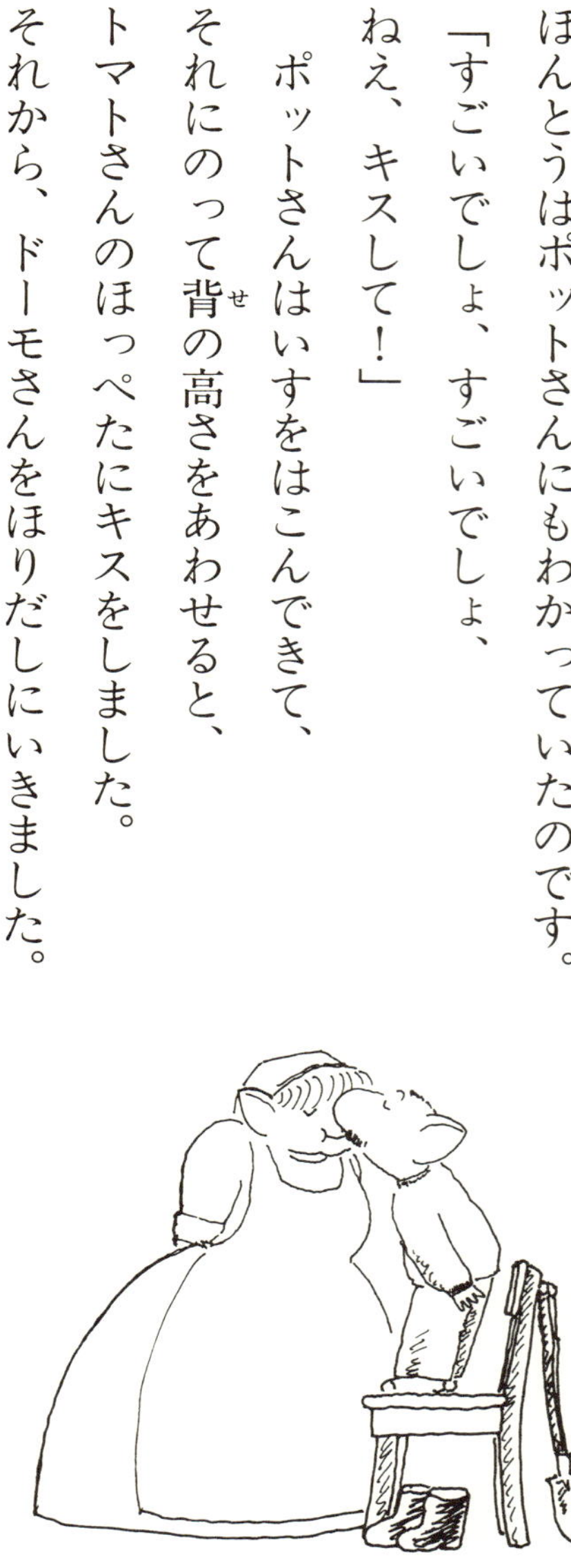

十分後、ドーモさんは、ポットさんとトマトさんといっしょにお茶をのんでいました。大きなストーブの前には、ドーモさんのコートがつるされています。

「いや、どうも、たすかったよ」

「うちの前だからよかったのよ。もっと遠いところでくしゃみをしていたら、いまごろはまだ雪のなかだったかもしれないわ」

「うん、ぼくはついていたよ。でも、もっとついていたら、くしゃみをしなかったかもしれないけれど」

ドーモさんはあとのほうは小さな声でいいました。

「ところできみは、いったいだれのところにあの小包をはこんでいたんだ」

ドアのうちがわにおいてあるそりの荷物を目でしめして、ポットさんがたずねました。

「こそあどの森、ウニマル、スキッパー様だよ」

荷物(にもつ)のほうをみないでドーモさんは、お茶(ちゃ)をふうふうふきながら、あて名を読むみたいにこたえました。

「スキッパー、あの子は……」

ポットさんとトマトさんが同時(どうじ)に話しはじめました。ポットさんがだまって、トマトさんがつづけました。

「あの子はほんとにかわってるわねえ。バーバさんがあんなひとだから、すきなようにさせているんでしょうけどね。バーバさんっていえば、いまはどこにいるのかしら。なんでも南の島(しま)にいくってことだったけれど。もう三か月(げつ)も前のことでしょ、出かけたのは」

「バーバさん？　あの博物学(はくぶつがく)のおばさんは、南の島(しま)のナンデモ島(とう)ってところにいるんだ」

ドーモさんがこたえました。

「ま、どうしてしってるの？」

トマトさんがたずねました。

「いけない」ドーモさんは口をおさえました。「郵便配達のひとは、どこのだれからものが送られてきたなんてことをしゃべっちゃいけないんだ」

「すると小包はバーバさんから送られてきたのね」

ドーモさんは口をすぼめて天井をみました。

「じゃあ、なかにはいっているのはめずらしい貝のからじゃないかな」ポットさんはそこまでいって、なぜそう思うのというトマトさんの目に気づき、つけたしました。「出かける前にバーバさんがいってたんだよ。こんどの旅で貝のコレクションをふやせるだろうって」

「バーバさんはなんでも話してくれるんだけどねえ」トマトさんは首をふりました。「あのスキッパーって子はねえ」

「そうだろ。ぼくはにがてなんだ、あの子は。無口っていうのかな」

ドーモさんは荷物のほうをちらっとみてためいきをつきました。

「はずかしがり屋なんだよ」

　ポットさんがお茶をすすっていいました。

「わたしはそうは思わないわ。だって、はずかしがり屋なら、はずかしそうにわらうわ。あの子、わらわないもの」

「わらえないほど、はずかしがり屋なんだよ」

「はずかしがり屋っていったってねえ」

　トマトさんはクッキーを皿にいれ、三人のカップにお茶をつぎたして、ほおづえをつきました。

「あの子は、まだ小さいときにこの森にきたのよ。もう十年以上前によ。バーバさんがつれて帰ってきたんだわ。だいてね。そんなになるのにまだわたし、お話ってものをしたことがないのよ。顔をみるのも一年に一度か二度くらいのものだわ。それもちらっとね。バーバさんときたら、元気いっぱいのひとづきあいのいい学者さんなのに、どうしてあんな子が育つのかしら。ほったらかしにしているのがいけないのよ、きっと」

　トマトさんの話がおわるのをまっていたみたいに、ポットさんがドーモさんにたずねました。

「で、きみはあれを、ウニマルの前までもっていくのかい？　それとも、ウニマルのなかまではこぶつもりかい？」

「それなんだよ、ぼくのゆううつは」ドーモさんはまたためいきをつきました。「いままでにこんな荷物を、スキッパーがひとりでいるときにはこびこんだことはないよ。でも想像がつくんだ。スキッパーがあの荷物をひとりでウニマルのなかにいれるわけにはいかないだろ。だって、はしごをのぼらなきゃいけないんだからさ。そこでぼくが、はこびましょうかっていうね。スキッパーはだまってるんだよ、きっと。でも、はこんでほしいにきまってるから、はこびますよってぼくがいうね。返事がないんだよ、きっとね。そのやりとりを考えると、もうゆううつになっちゃうんだ」

「ぼくがいっしょにいってやろうか」

それをきいてドーモさんは、ポットさんの手をとって握手しました。

「ありがたい。きみは友人だ。この家の前でくしゃみをしたかいがあった」

「まあ、あなたって親切！　キスして」

ポットさんはいすの上にたって、トマトさんのほっぺたにキスしました。

「じゃあいこう」

トマトさんは、すっかりかわいたドーモさんのコートと、ポットさんのコートをとってきました。ふたりがそれを着こんでドアのところまできたとき、ドーモさんは息をのみました。

「たいへんだ！」

荷物の上にのこっていた雪がとけて、小包がびしょぬれになっていたのです。あて先の文字もすっかりにじんで読めなくなっています。あわててドーモさんは、包みの上にたまっている水を手でぬぐいました。すると、水で弱くなっていた紙がはがれるようにやぶれ、ドーモさんはもういちど息をのみました。

「どうしよう！」

「あて名はきみがおぼえているんだろ。いいじゃないか。やぶけたことは、ぼくがいっしょにあやまってあげるよ」

「きみは友人だ」

「なんて親切、キスして」

ポットさんはいすをとってきて、それにのって、トマトさんのほっぺたにキスしました。


トマトさんにみおくられて家を出たふたりは、雪のつもった森のなかを、そりをひいて歩いていきました。

「ぼくは、あのバーバさんの家をみるとさ、ほんとにウニマルだなあって思うんだよ。ウニマルのマルって、船の名の丸だろ」

ドーモさんが白い息をはきながらいうと、ポットさんも白い息でこたえました。

「そうだね。ずんぐりした船に、ウニがのってるようにみえるものね」

「あの、ウニのトゲみたいなものは、いったいなんだろう。まんなかのは煙突だろ」

「あとのトゲは、何本かは望遠鏡で、何本かは空気ぬきで、何本かはものほしだと思うよ」

「ふうん。で、スキッパーはそこにひとりきりで、たいくつしないんだろうか」

「標本やら本がいっぱいあるらしいから、船旅でもしているつもりになれば、外に出ていかなくてもいいのかもしれないな」

しばらくすると、むこうの木立ちのなかにウニマルがみえてきました。まんなかのトゲ、煙突からひとすじの煙がのぼっています。

「どうやらいるようだね。スキッパーは」

煙をみてドーモさんがいいました。

ずっとつづいていた木がウニマルのまわりだけとぎれて、小さな広場のようになっています。ふたりはその広場にはいっていきました。

ポットさんが小声でいいました。

「スキッパーは、すくなくともこの七日間、ウニマルから一歩も外に出ていないらしいね」

「どうしてそんなことがわかるんだ」

「この七日間、雪がふっていないだろ。で、ここには足あとがない。それに、はしごの段にも雪がつもっているじゃないか」

ドーモさんはポットさんの指さす、船体にかかっている赤いはしごの段に雪がつもっているのをみました。

「きみはたんていになれるな」

「だれにでもわかるよ。それより、よんでみたらどうだい」

「うん」

ドーモさんは、ウニマルをみあげて、声をはりあげました。

「どうも！　郵便です。スキッパー、小包だよ！」

ちょっとのあいだ、あたりは静まりました。それからドアのあく音がして、ウニマルの船べりに、スキッパーが胸から上を出しました。すこしふきげんそうに、まゆをよせています。

「やあ、スキッパー、元気かい」

ポットさんが声をかけると、スキッパーはかすかにうなずきました。

「バーバさんから小包だ。なかにはこぼうか」

ドーモさんがいいました。スキッパーはしばらくふたりと荷物をみくらべたあとで、かすかにうなずきました。じっとみていないとわからないくらい

のうなずきかたです。

「な、これだよ」

小声でドーモさんはポットさんにささやきました。ポットさんはきこえなかったふりをして、元気にいいました。

「さあ、はこびあげようぜ」

まずはしごの雪をはらって、ポットさんがさきにのぼってひっぱり、ドーモさんがおしあげる形で、荷物は船の甲板にあげられました。甲板は雪がそうじされています。

「なかにいれるかい？」

ポットさんがたずねました。スキッパーはちょっとまをおいてから、かすかにうなずきました。

ドアからなかにはいると、甲板とおなじ高さに壁にそってまるく通路があり、すぐに下におりる階段がありました。天井はドーム型をしています。そしてあちこちにあかりとりの窓や、とげにつながる穴があり、それを操作するらしいたくさんのロープがぶらさがっていて、まわりの通路の手すりにむすびつけられています。

ポットさんとドーモさんは、階段をおりたところに荷物をおきました。スキッパーがじっと荷物をみているのに気づいたポットさんがいいました。

「あのね、スキッパー、もしかするときみは、ほんとうにこれがきみのところにきた荷物かどうか心配してるんじゃないかな」

「そうだ」ドーモさんがつづけました。「ぼく、きみにあやまらなくちゃいけないんだ。荷物をぬらしてしまって、あて名とさしだし人を書いた紙をやぶっちゃったんだ。ごめんよ」

スキッパーはだまって荷物をみつづけていました。ポットさんがつけたしました。

「ああ、それがぬれちゃったのは、ぼくが気をつけていなかったせいもあるんだ。うちのストーブで雪がとけてぬれたんだからね。ゆるしてくれよ、な」

スキッパーはまだ荷物をみつづけています。ドーモさんはぼうしをとって、頭をかきました。

「いや、どうも、よわったな。ねえ、スキッパー、きみのところにきた荷物かどうかって思ってるんだろ。これ、まちがいなくきみあての小包だったんだよ」

「そうだ」ポットさんがいきおいよくいいました。

「こいつをあけてごらんよ。きっと手紙がはいっているよ。それをみれば、きみあての荷物だったってことがわかるから」

「そうだ！　いいことをいってくれる。さすが友人だ。それがいい」

ドーモさんはぼうしをにぎりしめ、なんどもうなずきました。

スキッパーはちょっと考えてから、ひもをほどきはじめました。上の部分のひもをほどくと、ぬれた包み紙をはがしていきました。

「ああっ！」

ドーモさんの悲鳴が部屋のなかにひびいて、スキッパーがもっとまゆをよせました。包み紙のなかにはダンボール箱がはいっていたのですが、ダンボール箱の上に封筒があって、それがぬれていたのです。ぬれた封筒にはインクのしみがひろがっています。きっとなかの手紙もにじんでいるのにちがいありません。

スキッパーはまゆをよせた顔のまま、ちらっとポットさんとドーモさんをみてから、封筒のなかの手紙をとりだしました。ぬれた紙をやぶかないように、そっとひろげます。ポットさんとドーモさんは、スキッパーのひろげる手紙をのぞきこみました。

「やっぱり、きみにだ！」

ポットさんがいいました。

「よ、読めるじゃないか！」

ドーモさんがうれしそうにいいました。あんなにぬれてインクがにじんでいたのに読めるのです。こんな手紙でした。

スキッパー、元気にくらしていますか？
わたしは元気です。そちらは今、冬ですね。
わたしがいる ナンデモ島は 夏です。
ここのひとたちは みんな親切です。
わたしの しらべものも はかどっています。
さて、きのうのことです。
とてもおいしいものをいただきました。
島のひとにたずねると ポアポア というんだそうです。
ポアポアというのは、いいもの、という意味だそうです。
ほんとうにおいしかったので、森にのこしてきた あなたにも

食べさせてあげたいとわたしがいうと、島のひとたちは、ぜひ
送ってあげなさいといってくれました。
ポアポア（いいもの）は、みんなでわけなければならない
というのです。
そこで、これを送ります。

「ぜんぶ読めたじゃないか」

ドーモさんはとてもうれしそうにいいました。

「いや、まてよ」ポットさんが手紙に顔を近づけました。

「二枚めがあるんじゃないか」

スキッパーは、そっと紙をはがしました。

「ああっ！」

ドーモさんの悲鳴がもういちどひびいて、スキッパーは顔をしかめました。

そこで、これの料理法です。
まず、これを

あまいにおい
つくりかたは

さんにたずねると わかるでしょう。

ふしぎですね。

ではまた。

ときどき、
~~いやな~~、あなたのことを思っています。

ナンデモ島、カンデモ亭にて

一月十六日　バーバより

ポットさんとドーモさんは顔をみあわせました。

スキッパーは天窓の光に紙をすかしてみたり、ななめに光をあててみたりしました。

それにあわせてあとのふたりも、手紙の下や横に顔をよせました。読めません。ポットさんが、悪いしらせをいうみたいに小さな声でいいました。

「料理法がわからない、みたいだな」

「ああ、どうしよう！」

ドーモさんは手にもっていたぼうしをくしゃくしゃにして、すがるようにポットさんをみました。ポットさんは、ふっと顔をあげました。

「その、なかにはいってる、ええっと、ポアポアだっけ？　それをみてみるとどうかな」

「そ、そうだ、そうだ。いいことといってくれるぞ！　友人！　みてみよう！　料理法がわかるかもしれない！」

ドーモさんはこきざみになんどもうなずきました。

スキッパーはひとつためいきをついてから、二枚の手紙をテーブルの上にひろげておくと、ダンボール箱をそっとあけてみました。

「や、やしの実だ！」ドーモさんがさけびました。「やしの実のたべかたなら……」

「ちがうよ」ポットさんがいいました。「やしの実ならもっと大きいよ。形もちがう。それにバーバさんは、やしの実ならやしの実と書くよ。これはポアなんだ。特別な料理法があるんだ、きっと」

スキッパーは、やしの実より小さく、リンゴよりは大きい木の実を、ぬれたダンボール箱からとりだし、テーブルの上につんでいきました。うす茶色の木の実はかたくすべすべしていて、もっとずしりと重く、二十こほどはいっ

ていました。

「特別な料理法……」ドーモさんはうめくようにつぶやきました。「それを、ぼくがわからないようにしてしまったんだ。ぼくは郵便配達人失格だ」

スキッパーはふきげんそうに木の実をながめたままです。

「なあ、スキッパー」ポットさんがスキッパーをのぞきこむようにいいました。「この手紙の二枚めに、つくりかたをだれかにたずねるとわかるって書いてあるだろう。きっと、この森のだれかが料理法をしっているんだよ。もしかすると、うちのトマトさんかもしれない。トマトさんはいろんな料理をしっているからね。だから、もしよかったら……」

「ぼくは手紙を書くぞ！」

とつぜんドーモさんがさけびました。

「バーバさんはナンデモ島のカンデモ亭にいるんだ。そこへ手紙を書いて、料理のしかたをもういちど教えてもらうんだ！」

「いい考えだ。でも」ポットさんはいいにくそうにいいました。「ずいぶん先になるよ。バーバさんがこの手紙を書いたのは一月十六日だろ。きょうは三月一日だぜ。それにバーバさんがずっと同じところにいるかどうか……」

「だって、書かないわけにはいかんじゃないか！　ぼくのせいでこうなったんだから！」

「きみだけのせいじゃないって！　ぼくのせいでもあるんだ。それよりもスキッパー、料理の方法をしっているひとを……」

「いいや、ぼくは……」

　声が大きくなっていたふたりは、とつぜんだまって、スキッパーをみました。スキッパーがなにかいったような気がしたからです。

「き、きみ、いまなにかしゃべったのかい？」

「よ、よくきこえなかった。もういちどいってくれるかい？」

　スキッパーはまゆをよせたまま、ほおを赤くして、小さな声でいいました。

「もう、いいです」

ポットさんとドーモさんは顔をみあわせました。ふたりはきゅうにはずかしくなりました。ひとの家で大声でさわいでいたからです。

「いいですったって、きみ……」

ドーモさんがつぶやいて、ウニマルのなかはしんとなりました。スキッパーはほおを赤くしたまま、木の実をみつめていました。

ポットさんはドーモさんのひじをつついていいました。

「じゃあ、スキッパー、ぼくたちは帰るけれど、もしもよければうちにたずねにおいでよ」

「ぼくが手紙を書くのは、かまわないよね」

ドーモさんも、つぶやくようにいいました。ふたりは、そっと階段をのぼって出ていきました。

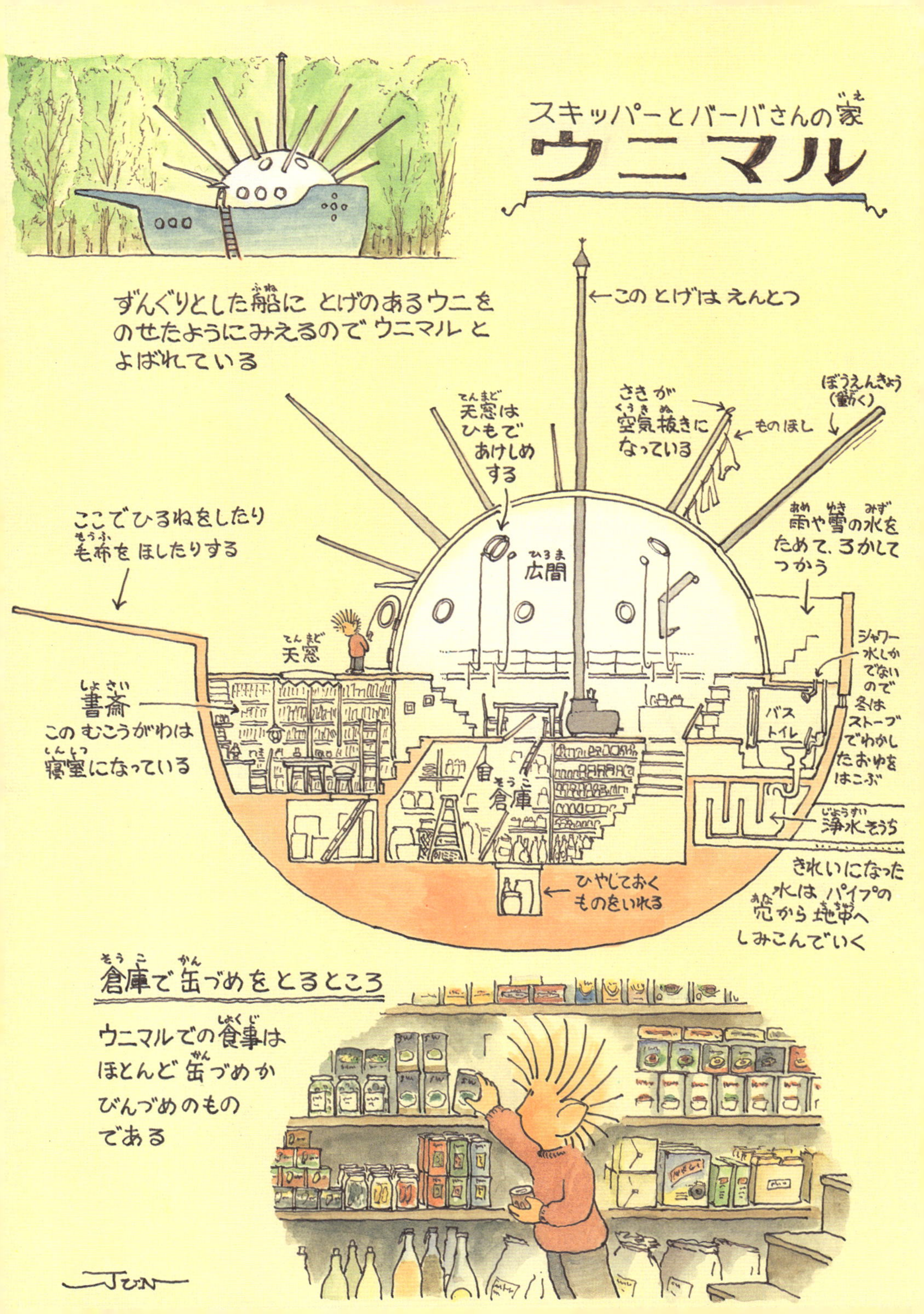

スキッパーとバーバさんの家
ウニマル
ずんぐりとした船に とげのあるウニを
のせたようにみえるので ウニマル と
よばれている
←このとげは えんとつ
天窓は
ひもで
あけしめ
する
さきが
空気抜きに
なっている
ものほし
ぼうえんきょう
(動く)
ここでひるねをしたり
毛布を ほしたりする
雨や雪の水を
ためて、ろかして
つかう
広間
天窓
書斎
このむこうがわは
寝室になっている
シャワー
水しか
でない
ので
冬は
ストーブ
でわかし
たおゆを
はこぶ
バス
トイレ
倉庫
浄水そうち
ひやしておく
ものをいれる
きれいになった
水は パイプの
穴から 地中へ
しみこんでいく
倉庫で 缶づめをとるところ
ウニマルでの食事は
ほとんど 缶づめか
びんづめのもの
である
JUN

2 スキッパーはうんざりした

ふたりの雪をふむ音が遠くなって、それからしばらくして、ようやくスキッパーは自分がつかれきっていることに気がつきました。バーバさんにいわせると、スキッパーの耳はとくべつによくきこえるのだそうです。その耳のそばでふたりがしゃべりまくっていたのだからたまりません。まだ頭のなかがわんわんしています。あのふたりのしゃべりようときたら、ウニマルの屋根にふるどしゃぶりの雨よりやかましかったのです。

テーブルの横のいすにぐにゃりとすわりこみました。目の前には木の実がありました。これがおくられてきたおかげで、なにもかもがかわってしまったような気がします。

バーバさんが旅に出て三か月、ずっとひとりでくらしてきました。ウニマルから外に出たのも数えるほどしかありません。それも、ストーブでもやしたまきの灰をすて、新しいまきを林のなかの小屋にとりにいっただけです。あとは本を読み、石や貝、そして化石の標本をながめ、晴れた夜には望遠鏡で星をみ、ホットケーキを焼き、缶づめをあけ、お茶をわかし、空想にふけるだけの、静かで平和な生活だったのです。

　スキッパーは目をとじました。この三十分ほどのことが夢だったのではないかと思ってみました。けれど目をあけると、木の実がみえました。目をそらせると、ダンボール箱と包み紙がみえました。

　のろのろとたちあがるとダンボール箱と包み紙を小さくちぎり、部屋のまんなかにあるストーブでもやしました。それからテーブルのほうをみないようにして、となりの書斎へいきました。

　まわりは本と標本でいっぱいです。天井からぶらさがっているひもをひくと、まるい天窓から光がはいってきました。ふだんは光をじゃばら式のカーテンでさえぎっておきます。でないと、本や標本がいたむのです。窓のカーテンもあけます。天窓の下の机に、化石の標本を標本棚からひとつとりだして、おきました。そしていつものようにいすにすわると、ほおづえをついて化石をながめました。きょうとりだしたのは植物の葉の化石です。

あわいオレンジ色の岩に、手のひらほどの大きさの、先が三つにわかれた葉のあとがくっきりとついています。スキッパーはどんな化石をみても、それが巨大なもので、アリよりも小さくなって、そこを歩いているところを想像してしまうのです。でも、きょうはなかなか想像の世界にはいりこむことができません。それでもじっとながめていると、想像はひとりでにふくらんでいきました。

オレンジ色の砂漠をスキッパーは歩いています。すると砂漠に階段のようにくっきりと段があるところに出てしまいます。段にそって歩いていくと、きゅうに雨がふってくるのです。どしゃぶりの雨です。雨水は段の低いほうに流れこみ、どんどんたまってひろい湖のようになります。雨がとつぜんやみます。湖の水がみるみる地面にしみこむと、あちこちから植物が芽を出します。それはみるまに大きくなり、先が三つにわかれた葉をしげらせ、あっ

ウニマルの書斎（しょさい）

というまに森になってしまいます。木という木に花が咲きます。白い花です。スキッパーは森のなかにはいっていきます。白い花は花びらになって、かぎりなくふってきます。地面はまっ白にかわります。やがて白いじゅうたんが茶色にかわり、ふとみあげると枝のあちこちに実がなっているのです。どこかでみた実です。ふいにバーバさんが木のかげからあらわれます。たんけんたいのようなかっこうをしています。そして、いうのです。——ポアポアっていうんだよ。

はっとスキッパーはからだをおこしました。どうしてこんな想像になってしまったのでしょう。ふうと息をついて頭をぶるっとふりました。もう化石をながめる気分になれません。化石は棚にしまいました。

天窓からはいってくる光が弱くなっています。カーテンをしめて、広間にもどりました。ランプに火をつけると、テーブルの上の木の実のひとつひとつに影ができました。スキッパーは、なるべくそちらをみないようにして、夕食のしたくをはじめることにしました。

床板についている金具をおこし、指をかけてひきあげると、床に四角の穴があきます。地下室の倉庫におりていく出入り口です。出入り口はストーブをはさんでもうひとつあって、そちらもあけます。こうすればなかがあかるくなって、ランプをもっていかなくてもいいのです。ひんやりした地下におりていくと、倉庫には粉袋や缶づめ、びんづめの食品がいっぱいならんでいます。

ソーセージの缶づめと野菜の缶づめをスキッパーはとりました。そしてすこし顔をしかめました。オリーブの実のびんづめが目にはいり、テーブルの木の実を思い出してしまったのです。

広間にもどると缶づめをあけ、ストーブの上におきました。ストーブは調理にも使うので、上がひろくなっています。昼に焼いてあったホットケーキも、皿ごとそのとなりにならべてあたためます。さっきからずっとかけてあったやかんのお湯の量もたしかめます。

お茶をいれるための小さなポットを用意したとき、ポットさんのことを思い出してしまいました。ポットさんもドーモさんも、どうしてあんなにさわがしく、どうしてあんなにおせっかいなんだろう。

ウニマルのなかに、ポットさんやドーモさんがはいってきたことは、これまでにもあります。でもそんなときにはスキッパーは、バーバさんのかげにかくれているか、書斎か寝室ににげこんでいればよかったのです。スキッパーがひとりで、こんなに長い時間を、ほかのひととすごしたのは、はじめてのことでした。目の前で、手をのばせば相手にさわれる近さで、ふたりはしゃべりまくっていたのです。

スキッパーはためいきをつくと、皿のホットケーキをうらがえし、小さなポットにお茶の葉をいれて湯をそそぎました。ゆげがもあもあたちました。通路の上の丸窓をみると、外はもうまっ暗です。そしてその窓ガラスがゆげでくもっています。天井のいくつかのとげの穴からのびて通路の手すりにむすびつけられていたロープをぐっとひいて、むすびなおします。こうすると、とげの先がひらいて、しめった空気が出ていくのです。

缶づめがぐつぐつ煮えはじめました。食器棚から皿を二枚とカップをひとつ、フォークを一本出してきて、テーブルにおきました。テーブルには木の実の山があります。スキッパーはまゆをよせると、書斎ととなりあわせの寝室からコートをとってきました。それを木の実の山にかぶせました。

それから食事の前の手洗いをしました。ウニマルでは、水は雨や雪を利用しています。船尾に大きな貯水槽があって、そこにたまった水がろかされて出てくるしかけです。使いおわった水は地下室の船尾がわにある浄水そうちを通って、パイプで地中に出ていくようになっています。

一枚の皿に、あたたまったホットケーキを皿ごと、もう一枚の皿に缶づめを、なべつかみを使ってうつし、小さなポットからカップにお茶をそそぎ、

うしろの甲板へ →
地下へいく戸

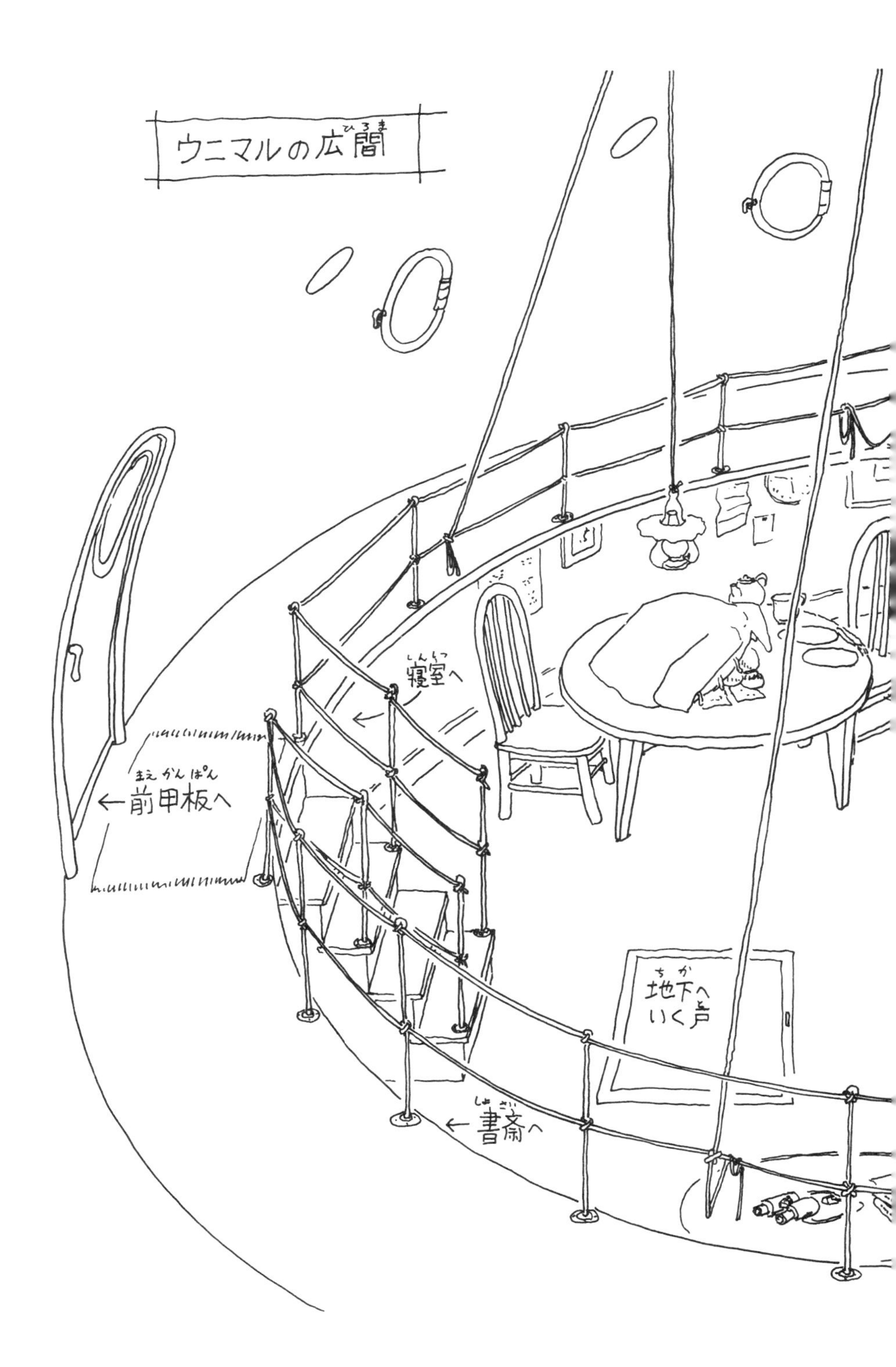

ウニマルの広間
寝室へ
←前甲板へ
地下へいく戸
←書斎へ

食事をはじめました。

食べながらも、目の前のコートの下のものが気になりました。みないでおこう、考えないようにしようとしても、目や考えがそこにいってしまうのです。コートの下に、手紙のはしがちらりとみえています。

――スキッパー、元気にくらしていますか?

そう書いてあります。

元気にくらしていたよ、小包がとどく前まではね。スキッパーは頭のなかで、返事をしました。

手紙はさっきはおちついて読めませんでした。ポットさんとドーモさんがのぞきこんでいたからです。でも、いまもういちど読みなおす気分にもなれません。読んでしまうと、木の実をなんとかしなければならなくなってしまいそうです。たしか、だれかになにかをたずねなければならないと書いてあったようです。そんなめんどうなことをするなんて、考えてみるだけでうんざりです。

食事のあとは、書斎で本を読む習慣でした。スキッパーがまだ小さかったころ、バーバさんが夕食のあと、毎晩、文字の読み書きを書斎で教えてくれました。そのころからずっと、夕食のあとは読書です。今夜もそうすることにしました。

ここにあるバーバさんの本は、ほとんどが世界の動物や植物、石や貝、化石などについてのものです。あとは地理と歴史、たんけんや旅行、そして冒険の物語の本もすこしはあります。

書斎のランプに火をつけると、きのうまで読んでいたつづきの本を本棚からぬきだしました。それはきのこのことが書かれている本で、四十九ページのところに紙がはさんであります。そこから、きょう読むことになっていたのです。

フワフワタケ、と太い文字で書かれたその下に、絵が書いてあります。枯葉のあいだから頭を出したフワフワタケ、それが育ったもの、そして頭の部分がふくれあがって風にのって飛んでいくところの、三枚の絵です。このきのこは飛ぶのです。絵の下には、どういうときにどういうところでできるのかとか、食べられるかなどということが書いてあります。

　思わずスキッパーが目をとめたのは、このフワフワタケがしゃべるという説がある、というところです。別の学者は、このきのこはなかが空になっているので、虫食い穴から風が出入りして音をたてるのが、しゃべっているようにきこえるだけだといっている、とも書いてあります。

　スキッパーは目をとじて、フワフワタケを思いうかべてみました。森の枯葉のなかにフワフワタケが育っています。やがて頭がふくれあがり、目ができ、口ができ、風にゆられてふんわりうきあがります。そしていうのです。

　――ポアポア！

　スキッパーは目をあけてためいきをつきました。本をとじて、ランプの火

フワフワタケ

フウセンタケ 科

(図-1)

(図-2)

(図-3)

夏～秋，林のなかの枯葉のあいだに発生する（図-1）。

きのこは成長するにつれ，頭の部分がしだいに大きくなるが，この部分はフウセンのように，なかがからである。そのため，わずかな風にもゆらゆらとゆれる(図-2)。

頭の部分が10cmをこすと，足の部分が切れ，風にのって飛ぶことがある(図-3)。

頭の部分は白，足の部分はうすい茶色。毒はないが，まずいうえにほとんど皮ばかりで食用にはむかない。しかしながら，タデクイという昆虫は，このきのこが好物である。

フワフワタケがしゃべるという説があるが，別の学者はタデクイのあけた穴から風が出入りして音をたてるのがしゃべっているようにきこえるだけだといっている。

を消しました。

広間にいくとコートの下が気になります。通路にのぼって望遠鏡で星をみようと思いましたが、考えてみるとこのところずっと空がくもっているので、星はみえないのです。

まだすこしはやいようですが、歯をみがき、着がえてねむることにしました。

けれども、横になってもなかなかねむれません。目をとじても、ポットさんやドーモさんの声が頭のなかにひびいてきます。スキッパーはなんどもねがえりをうちました。なんどねがえりをうっても、ぬれた手紙やつまれた木の実、ああ！と悲鳴をあげるドーモさんの身ぶりや、なんとかしようと首をかしげるポットさんの表情が目にうかんできます。

なんてさわがしいひとたちなんだろう。バーバさんがあんなものを送ってこなければよかったんだ。スキッパーはそんなことをなんども心のなかでつぶやきながら、ねむりにおちていきました。

つぎの日の朝、顔を洗ったあと、甲板に出てみました。あいかわらずのくもり空です。でも雪はふっていません。ここ何日か、ふりそうでふらないのです。

昨夜はなんども目がさめて、めざめもすっきりしなかったのですが、外の冷たい空気は気持ちをしゃんとさせてくれるような気がします。スキッパーは、広場のまわりの木々をながめました。

すると、かすかに雪をかきわける音がきこえました。音のほうに目をこらすと、むこうの木のかげから、二ひきのユキモグラがちょこちょこと出てくるのがみえました。ユキモグラは、毎年雪がつもると北からやってくるのです。まっ白のからだをしていて、いつも二ひきいっしょにいます。

——なかよしなんだ。

スキッパーは声に出さずにつぶやきました。

二ひきのユキモグラは、ウニマルのスキッパーには気づかず、ときどき相手にちょっかいをだしてふざけあいながら、広場を横ぎっていきます。とつぜん二ひきはびくっとたちどまりました。きのうのポットさんとドーモさんの足あとをみつけたのです。あっというまに、二ひきの姿は雪のなかに消えてしまいました。雪のなかに穴をほるのがとてもじょうずなのです。二ひきが消えたところから、ひとが走るのよりはやく、雪がわずかにもりあがってできる二本のうねが、むこうの木立ちのなかへ、つかずはなれずそれぞれの曲線をえがきながらのびていきました。雪のなかでトンネルをほりながら、おたがいがどこにいるのかわかるらしいのです。

広場にはもううごくものはありません。ただ雪の上に、ポットさんと、ドーモさんの足あと、二ひきのユキモグラの足あととトンネルのうね、それがのこっているだけです。

「なかよしなんだ」

スキッパーは声に出してつぶやきました。ユキモグラのことではありません。ポットさんのことを友人とよんでいたドーモさんのことを思い出したのです。

ぼくだってバーバさんとなかよしさ。そう思ったあとで、ポットさんとドーモさんのなかよしは、スキッパーとバーバさんのなかよしとはちがうような気がしました。ポットさんたちはいっしょにすんでいるわけではないのですから。

でもぼくたちだって、この三か月はいっしょにすんでいないんだ。そう思いました。そうです。だから、南の島から木の実を送ってきてくれたのです。

木の実か。スキッパーはふうと息をはき出しました。部屋にもどって、手紙をちゃんと読んでみようと思いました。

3

ポットさんとトマトさんはためしてみた

手紙を読んだスキッパーが、ポットさんの家にいってみようと決心するまで、もうすこし時間がかかりました。出かけたのは昼すぎです。

スキッパーのコートのポケットはずいぶん大きいので、木の実がちょうどはいりました。右と左のポケットにひとつずつついれて、森の雪道を歩いていきました。きのうのふたりの足あとがのこっていますが、それがなくても道はわかります。バーバさんといっしょに、なんども散歩をしていたからです。

ポットさんとトマトさんの家は、大きな大きな湯わかしをそそぎ口を上にして半分土にうずめた形をしていました。そのそそぎ口が煙突になっていて、いまも、あたたかそうなゆげがたちのぼっています。

スキッパーは大きな湯わかしの家の前で、しばらくだまってたっていました。

いつまでも木の実と手紙をそのままにしておくと気になって、なにをしてもたのしくないから、せっかくバーバさんが送ってくれたのにほうっておくのは悪いと思ったから、そしてトマトさんが料理法をしっているかもしれないとポットさんがいったから、それにいちどだけ教えてもらいにいけば、あとはまた静かなくらしにもどることができると思ったから、勇気をふるってここまできたのです。けれど、いざドアをノックしようと思うと、なかなか手があがりません。

ようやく心を決めてノックをしようとしたとき、とつぜんドアがひらきました。

トマトさんがたっていました。すぐ近くでみるとずいぶん大きなひとです。スキッパーは思わず半歩あとずさりしました。トマトさんは、ぱっと顔をかがやかせて、半歩前に出ました。

「スキッパー！　よくきてくれたわね。きのうポットさんから話をきいて、あなたがきてくれなかったらどうしようって思っていたのよ」

トマトさんはスキッパーをだくようにして、クッキーを焼いたにおいのする家のなかにいれ、奥にむかっていいました。

「ねえ、スキッパーよ。スキッパーがきてくれたのよ。ほんとうよ、ほんとだってば」

家のなかにはいるのは、はじめてです。スキッパーは目だけうごかして、まわりをながめました。なかはウニマルよりずっとひろく、中央に細長いテーブルがあります。十人以上のひとがいっしょに食事できそうなテーブルです。大きないすがひとつあるのは、トマトさん用でしょう。

「やあ、スキッパー」右の奥の部屋からポットさんが出てきました。「ここにきてくれたのは、はじめてだね」

「そうだわ、はじめてだわ」トマトさんが話を横どりしました。「どう？　わたしたちの家、気にいった？」

トマトさんはしゃべりながら、テーブルのいちばん奥の席のいすに、スキッパーをすわらせました。

「スキッパー、あなたがいま考えてることってわかるわ。どうしてふたりぐらしなのに十二人もすわれるテーブルがあるんだろって思っているんだわ。そうでしょ」

スキッパーはそんなことは考えていなかったのです。けれど、考えていないという前にトマトさんがしゃべっていました。

「それはね、わたしたちがだれかにお客さんにきてもらうのが大好きだからなの。だからお皿もスプーンも、ぜんぶ十二人ぶんあるのよ。

それからあなたはきっと、この家は湯わかしの形をしているのに、半分しかないみたいだなって思っているでしょう」

それは思っていました。でも、うなずく前にトマトさんはつづけました。

「ちゃんともう半分もあるの。地下室になっているのよ。地下一階と地下二階。地下二階ったら、夏でもシャーベットがとけないのよ。もちろん冬でもね。ほら、ふつう地下室って冬はあたたかいじゃない。でもここはちがうの。

きっと土のなかを氷の川が流れているんだわ。そういうわけだから、ポットさんは防寒服を着なきゃ、おりていけないの。そう、おりていくのはポットさんにきまっているのよ。だってわたし、こんなに大きいでしょ。からだがつかえて、はしごでおりていけないんだわ。からだが大きくて通れないといえば」

トマトさんは、さっきポットさんが出てきた部屋の上、中二階に通じている階段を指さしました。

「あの寝室の上の物置きにいく階段も通れないの。だからわたしはこの部屋と寝室しかいくことができないってわけ。でも、はじめっからこんなに大きかったわけじゃないの」

「スキッパー、木の実はもってきたかい?」

トマトさんが息をつくあいだをねらったみたいにポットさんがいってくれました。スキッパーはすばやく両方のポケットからふたつの木の実をとりだ

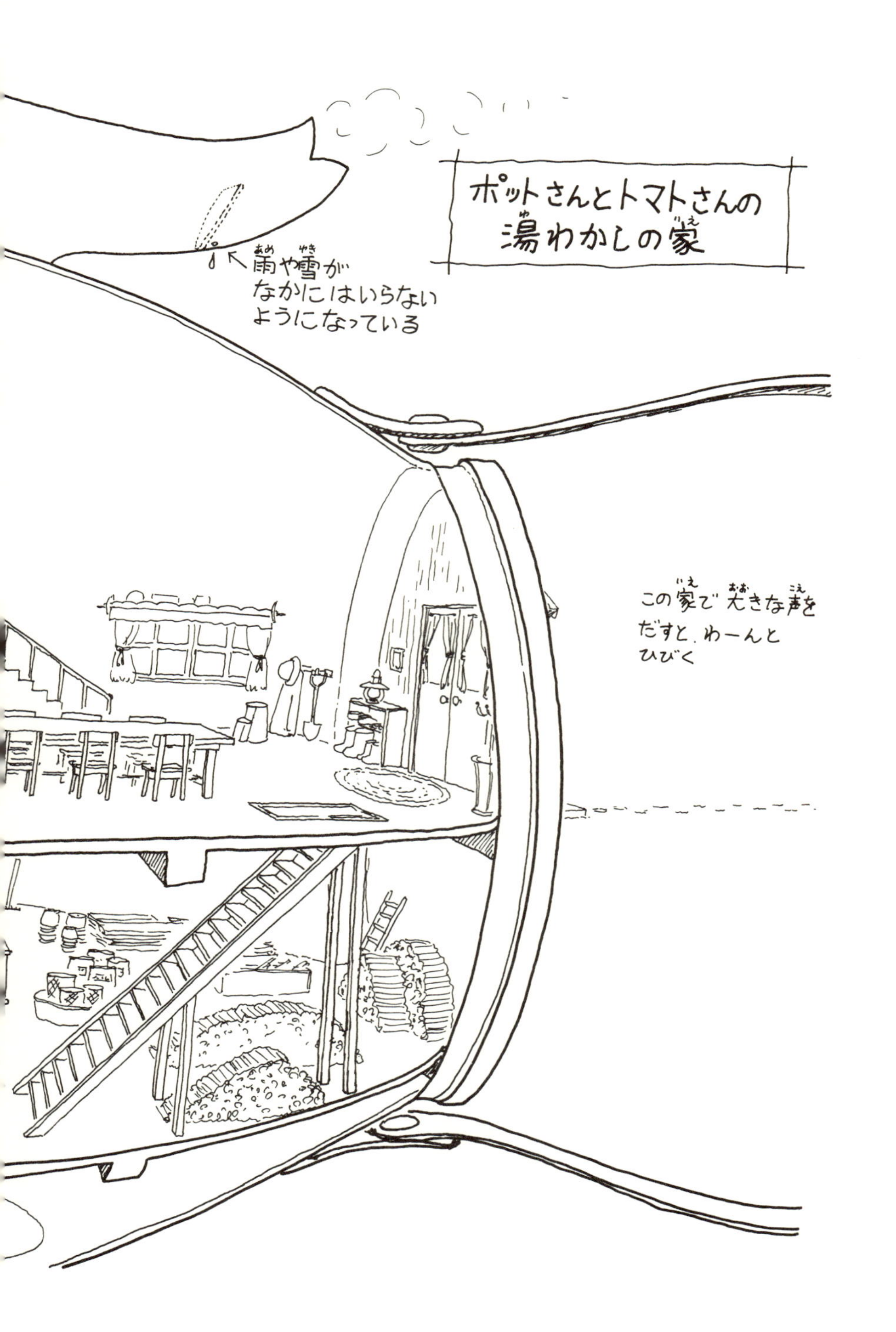
ポットさんとトマトさんの
湯わかしの家
雨や雪が
なかにはいらない
ようになっている
この家で大きな声を
だすと、わーんと
ひびく

井戸水をくみ
あげておく
ポンプと
タンク

して、テーブルの上におきました。話がおわらないのでどうしようと思っていたのです。

トマトさんは大きなからだをかがめました。

「これ？　これがポ……」

「ポアポア」ポットさんが名前をいいながら、ひとつ木の実をとって目の前にもちあげ、ながめました。「ずいぶんかたそうだな」

「ううん、ポアポア、ねえ」トマトさんもひとつ手にとって、首をひねりました。「ずいぶんかたそうねえ」

「料理のしかた、しらないかい？」

ポットさんは小さな声でたずねました。トマトさんはいっしょうけんめい考えこみました。そして悲しそうにポットさんをみて、首を左右にふりました。

「そうか。手紙には、つくりかたはだれかにたずねるとわかるだろうって書いてあったんだが、きみじゃなかったんだな」

「こんな木の実、みたこともきいたこともないわ。

でも、きっと、ゆでるんだと思う」

「ゆでる？」

「だってほら、とてもかたいでしょ。

ゆでればやわらかくなるんじゃないかしら」

「それとも炒るのかもしれないね。

ほら、炒ればこの実がぱちんとわれて、さ」

「わたしはゆでるんだと思う」

　スキッパーは、まだひとことも話さないのにつかれてしまいました。せっかく勇気をふるってやってきたのに、料理法がわからないらしいのです。たずねる相手はトマトさんではなかったのです。

「ね、スキッパー」

とつぜんトマトさんによばれて、スキッパーはびくっとしました。

「これ、ためしにゆでさせてくれないかしら」

トマトさんがいきおいよくいったので、思わずスキッパーはうなずいてしまいました。

「じゃ、こっちは炒ってみてもいいかな」

ポットさんも木の実をもちあげていいました。スキッパーはうなずかないわけにはいきませんでした。

ふたりはさっそくとりかかりました。部屋の正面奥には大きなストーブがあります。いちどに四つも五つもの大きななべが火にかけられる調理用のストーブです。ポットさんはひくい調理台でフライパンをあたためため、トマトさんは水をいれたなべを高い調理台の火にかけ、それぞれ木の実をいれました。ポットさんはこげてしまわないようにフライパンをうごかさなければなりませんが、トマトさんはもうすることがありませんでした。あとはまつだけなのです。

「まあ、スキッパー、ごめんなさい、わたしってば木の実のことに夢中になって、お茶もいれてなかったんだわ。すぐにいれるわ。焼きたてのクッキーもあるのよ」

　それをきいてスキッパーは、とびあがるようにたちました。

「い、いえ、いいです」

　ふだんのトマトさんなら、まあなにをいってるのとむりやりにでも相手をすわらせ、お茶をいれるところです。が、ぽかんと口をあけたままでした。心のなかで、スキッパーがわたしにしゃべったわ、スキッパーがわたしにしゃべったわ、となんどもつぶやいていたからです。

「ぼく、帰ります」

　まあ、またしゃべったわ。そう思いながらトマトさんは、赤くなったスキッパーのほおをみつめ、「そ、そう、帰るの……」とつぶやきました。

「じゃあ、料理がうまくいったら、しらせにいくよ」
ポットさんがフライパンをごとごとうごかしながら、ふりかえっていいました。

森の雪道に出ると、スキッパーは冷たい空気をすいこんで、大きく息をつきました。いちどだけトマトさんに会いにいって料理法をきけば、あとは静かなくらしにもどれるだろうと思っていたのに、問題は解決しなかったのです。

でも、うまくいけば、あといちどだけポットさんかトマトさんに会えばすむかもしれません。ゆでるか炒るかの方法でポアポアの料理ができるかもしれないからです。

それにしてもトマトさんってよくしゃべるなあ、もしも料理法を教えにきてくれるんなら、ポットさんのほうがいいなあ。スキッパーはそう思いました。そしてつかれきった足どりで、ウニマルにもどりました。

その日もスキッパーはおちつきませんでした。しらせがいつくるか、いつくるかとまっていたからです。

ポットさんがウニマルにやってきたのは、つぎの日の昼前でした。

「おうい、スキッパーいるかい？」

声がして、甲板に出るとポットさんがはしごの下にたっていました。

家のなかにはいってくるかなと思っていると、ポットさんはそこにたったまま、スキッパーがしていたようにコートの両方のポケットから木の実をとりだして、みせました。

「だめだったんだよ。トマトさんのほうはずっとゆでていたんだけど変化なし。ぼくのほうはすこし色がついただけで、やっぱりだめなんだ。役にたたなくてごめんよ」

ポットさんはそういって首をすくめてみせました。

「でね、トマトさんと考えたんだけど、きみが料理の方法をたずねなきゃならないのは、トワイエさんじゃないかなと思うんだよ。トワイエさんは本を書くひとだろ。作家っていうのはときどきへんなことをしっているからね。トワイエさんの家はわかるかな」

スキッパーはまゆをよせて、目をぱちぱちさせました。トワイエさんの家はしっています。それよりも、そこへいくことになりそうなのがおっくうだったのです。が、ポットさんはスキッパーが道をしらないのだと思ったようです。

「うちにくる道をそのまま進んで左にまがると小さな川があるよ。橋がかかっているから、それを渡るとすぐにトワイエさんの家なんだ。木の上の家だからすぐにわかるよ。木の実をひとつとあの手紙をもっていけばいいと思うけど、どうだい、いっしょにいこうか?」

「い、いいです」

スキッパーはあわてていいました。いったあとすぐに、いっしょにいってもらったほうがいいかなと思ったのですが、もういいだせませんでした。

「そうかい。じゃ、これ、かえすよ」

ポットさんは両手の木の実をちょっともちあげてみせてから、はしごに足をかけようとしました。

「あ、いいです」

「いいって？」

足がとまりました。

「あの、どうぞ」

「これ、くれるの？　役にたたなかったのに、悪いなあ。あ、そういえばポアポアはみんなでわけるなんて書いてあったっけ」

ポットさんは木の実をポケットにもどすと、じゃあ、と手をあげて、帰っていきました。甲板につったったたままスキッパーがみおくっていると、広場のはしでポットさんはふりかえりました。

「もういちど料理のしかたを考えてみるよ。なにかわかったら、くるからね」

そしてさっきと同じように手をあげると、木立ちのなかにはいっていきました。

スキッパーはポットさんの姿がみえなくなるまで甲板にたっていました。すこしまゆがよっているのは、トワイエさんの家にいかなければならなくなったからです。もしもいかなければ、きっとおちつかない気分になるでしょう。本を読んでいても、トワイエさんの家にいったほうがいいのじゃないかという気分がわきあがってくるにきまっています。スキッパーはそれがいやでした。昼食のあと、トワイエさんの家にいこうと心をきめました。心をきめたあと、

「やれやれ」

と、つぶやきました。

4 トワイエさんもためしてみた

バーバさんと散歩したとき、トワイエさんの家の前を歩いたことが、なんどかあります。だからスキッパーは、それがどんな家かしっていました。はじめてその家をみたとき、スキッパーは、どうして木の上に家があるのと、バーバさんにたずねました。

「それはね、スキッパー」バーバさんは教えてくれました。「トワイエさんは、ずっと昔から屋根裏部屋にすみたいと思っていたんだよ。で、あるとき、すごい嵐があったのさ。たつまきが、どこか遠くの家の屋根裏部屋を飛ばしちゃってね、それがこそあどの森まで飛んできて、枝をひろげた大きな木の上にちょこんとのってしまったんだよ。トワイエさんはそれまではギーコさんの家に下宿していたんだけどね、木の上の屋根裏部屋をみたとたん、すっかり気にいってしまって、ギーコさんといっしょに、らせん階段を木のまわりにつけたんだよ。ギーコさんは大工さんだから、じょうずについたよ」

けれど木の上だから、どうしても水をひくことができなかったのです。水は下の小川までくみにいかなければなりません。不便だね、とスキッパーはいいました。するとバーバさんはこういいました。

「スキッパー。実現したい夢がほんとうになろうとするとき、ひとは不便なんて考えないんだよ」

スキッパーは、そんなことを思い出しながら、白い息をはいて、トワイエさんの家までやってきました。らせん階段は雪がそうじされています。ひとつ大きく息をしてから、一段、一段とのぼっていきました。

いちばん上まで、ずいぶんたくさんの段があるような気がしました。のぼりおわってドアをノックしようとしたとき、なかで足音がきこえて、ドアがあきました。

「スキッパー」

トワイエさんのめがねのむこうの目が大きくなって、つぎに細くなりました。

「きみか、きみだったのですか。さあ、その、ああ、おはいりなさい」

スキッパーは、はじめて部屋のなかをみました。屋根裏部屋は左右の壁がななめになっています。どちらの壁の中央にも、外へつき出た窓があり、右の窓の前にはベッドが、左の窓の前には机といすがありました。壁はどこもかも棚がつけられていて、たくさんの本や生活に必要なものでいっぱいです。床の上まで本やものがならべられています。

正面の壁にだんろがありました。トワイエさんは、だんろの前に木の箱をおき、上にクッションをのせると、スキッパーにすわるようにすすめました。そしてだんろのなかにかけられていた湯わかしのお湯で、ふたりぶんのお茶をいれながら、つぶやくみたいにいいました。

「いや、ああ、その、階段をのぼってくる足音をきいて、ね。んん、だれかな、だれかなって、つまり、思ってたんです。すると、きみでしょう。きみが、その、きてくれるなんて思ってていなかったもんですから、いや、めいわ

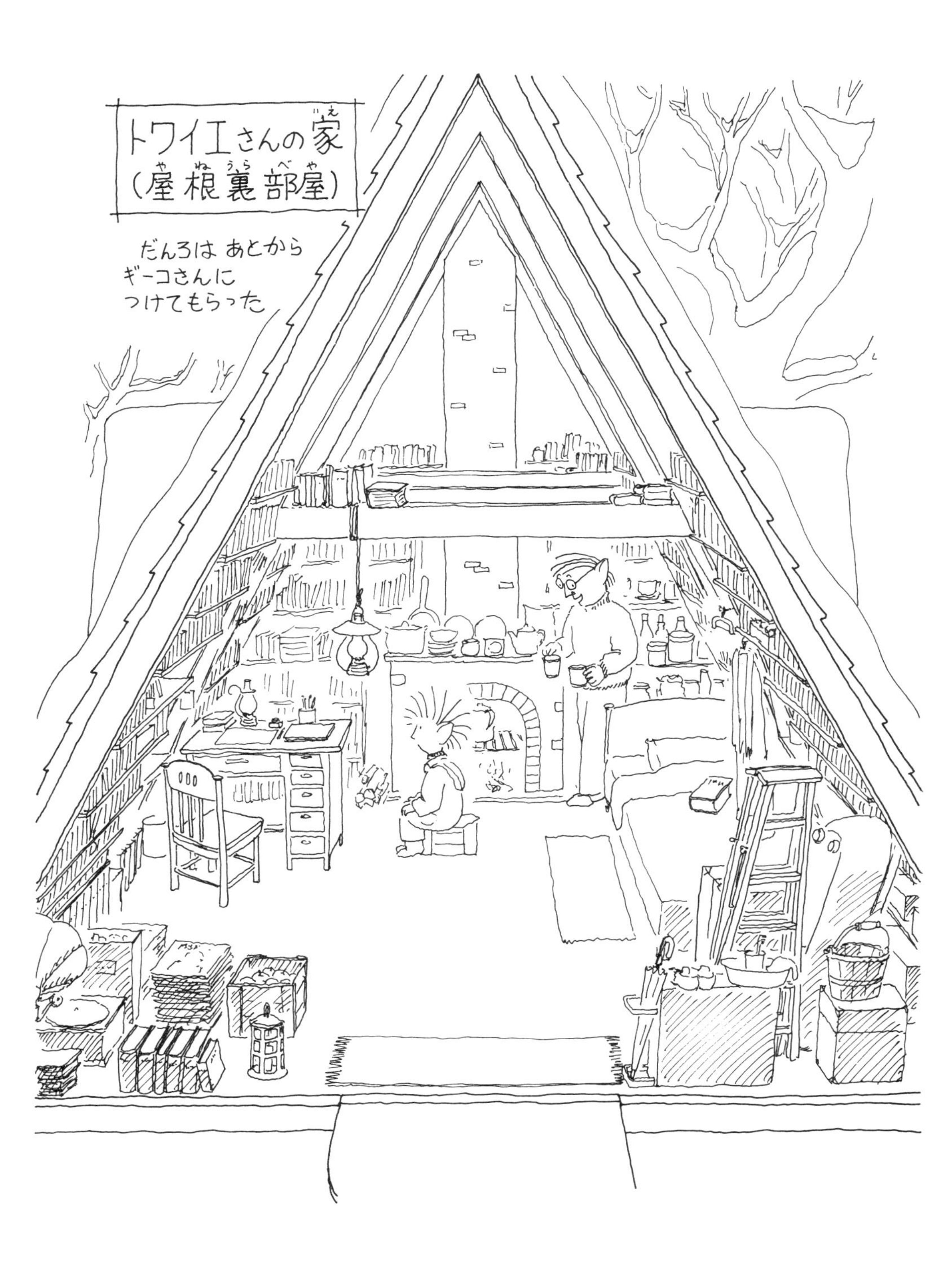

トワイエさんの家（屋根裏部屋）
だんろは あとから
ギーコさんに
つけてもらった

くじゃありませんよ、ぼくは。その、ちょうど、だれかきてくれないかな、だれかきてくれたら、お茶にしようかな、なんて、思っていたところなんですから、ね」

トワイエさんは自分のいすにすわって、スキッパーは箱にすわって、お茶をのみました。だんろの前でコートのまま熱いお茶をのんでいたものですから、スキッパーは汗をかいてしまいました。トワイエさんがちらりとスキッパーをみて、いいました。

「ああ、その、スキッパー、きみ、あついんじゃないですか。んん、コートをぬいだら、いいんじゃないかな」

スキッパーは、カップをトワイエさんの机の上において、コートをぬぎました。ぬぐ前にポケットのなかのポアポアの実と手紙を出しました。

「ああ、その、コートは、ベッドの上におくといいです」

そうしました。そして両手に木の実と手紙をもって、どう話しはじめたらいいのかと、ほおを熱くしていました。ポットさんが話し相手なら、こちらがだまっていてもなにかいってくれて、スキッパーはうなずくか、いえいいです、をいうかすればよかったのに、トワイエさんはなにもいいだそうとはしないのです。

しかたなく、スキッパーは、木の実をトワイエさんの机の上に、そっとおきました。

「ああ、その、これは?」

つぎにスキッパーは、手紙を木の実のとなりにおきました。

「ええ、これ、手紙ですね。これ、読むのですか? その、読んでもいいんですね?」

スキッパーはほっとしてうなずきました。

トワイエさんは手紙を読みはじめました。一枚めはうんうんと首をふりながら、いちどだけ木の実をちらっとみて、読みました。けれど二枚めになったとき、大きく目をあけました。そして注意深く読めるところだけを読むと、もういちど一枚めに目を通し、さらに二枚めをじっとながめ、そのあとでスキッパーのほうをむきました。

「つまり、その、きみは、この、ぬれて消えてしまったところに書いてあった、その、つくりかたをしっている相手が、ぼくではないかと思ったわけですか？」

スキッパーは不安そうにうなずきました。たずねる相手がトワイエさんではなかったような気がしてきたのです。

「はっきりいって、その、ぼくではないように、思います。トマトさん、ではないですか？」

スキッパーは左右に首をふりました。

「ちがう？　つまり、トマトさんのところには、いったんですか？」

うなずきました。

「ううん。そうですか」

トワイエさんはもういちど机にむきなおり、ゆっくり手紙を読みました。

「『いつもあなたのことを思っています』と書いて、『いつも』を『ときどき』になおしてあるのが、その、バーバさんらしいですね。いや、その、そんなことより、この、ポアポアの料理のしかたですね、問題は。『まず、これを』なんとかするんですね。そうすると『あまいにおい』がする、と。ということは、これをなんとかして『あまいにおい』がしてくれれば正解らしいですね。で、その『つくりかた』を、きみがたずねていけるところにいるだれかがしっている、と。まあ、こういうことなんですね」

トワイエさんのしゃべりかたは、静かなひとりごとのようなちょうしです。

「とすると、それがだれだかさがすか、それとも、これをなんとかして、あまいにおいを、その、ださせるか、ということに、まあ、なるわけですね」

トワイエさんは木の実をそっともちあげました。

「その、送ってきたのは、これひとつですか?」

「いえ、二十こほどあるんです」

すっとこたえてしまって、スキッパーは自分でおどろいて、ほおを赤くしました。ちらっとトワイエさんをみると、スキッパーがこたえたことを気にもとめずに、木の実をながめています。

「トマトさんは、これをなんとかしようとは、その、しなかったんでしょうか」

スキッパーはごくりとつばをのみこんで、それから、思いきっていいました。

「ト、トマトさんは、ずいぶん長くゆでたんです。ポットさんは炒ったんです。どちらもだめでした」

スキッパーはそういってから、こっそり大きく息をつきました。とつぜんトワイエさんは顔をあげてつぶやきました。

「焼くんじゃないかな」

そしてスキッパーをみました。

「これ、やってみても、その、いいですか？」

「いいです」

また、すっとこたえてしまいました。そんな自分におどろいているスキッパーのことは、まったく気にしないようすで、トワイエさんはたちあがりました。

「それじゃ、やってみましょう」

スキッパーのとなりにやってくると、だんろのなかの、湯わかしをおいていた鉄の棒でできた棚の上に木の実をおきました。そして火かき棒で木の実の下の火をかきたて、まきをつぎたし、しゃがみこみました。

「これで、その、うまくいけば、あまいにおいがしてくることに、ええ、なるはずです」

スキッパーはトワイエさんとならんで木の実をみながら、なにかいったほうがいいのかな、それとも、もう帰ったほうがいいのかなと、考えました。けれどとなりにしゃがみこんでいるトワイエさんは、バーバさんが書きものをしているときみたいに、まるでスキッパーがそこにいることを気にしていないようにみえました。

静かに時間がすぎていきます。まきのはじける小さな音がします。

スキッパーは、そっとまわりをながめました。ひとの家にやってきて、こんなに静かな時間をすごせるなんて、思ってもみませんでした。つき出た窓の、ゆげでくもったガラスごしに、家のまわりの葉をおとした枝がぼんやりみえます。木の上の屋根裏部屋ってわるくないな、とスキッパーは思いました。

「ううむ」

ひくい声にふりむくと、トワイエさんが両手にはめたなべつかみで木の実

をもちあげて、においをかいでいました。

「あまいにおい、しませんね」

それよりも、こげくさいにおいがしました。

「ん？」

木の実をだんろの上にあった皿の上におくと、こげていたのはなべつかみでした。

「これは、これは、」トワイエさんは首をふりました。「なんてふしぎなものでしょう、ポアポアというものは。んん、その、ね、スキッパー。ポアポアはこげていない。とはいえ、なべつかみをこがすほど熱くなっている。ね。これは、ああ、焼くというものではないのかもしれないな。あまいにおい、しそうにないですから、ね。ふむ」

トワイエさんは首をひねり、自分のいすにもどって、すこし考えました。

「もしかすると、ギーコさんかスミレさんじゃないかな、ああ、その、たずねていくはずの、ひとって」

おやおや、またこんなぐあいになったぞ、とスキッパーは思いました。

「うん、これはもしかすると、ギーコさんかスミレさんだな。家はしってますか？」

スキッパーはうなずきました。そしてたちあがって、コートをとりました。

「あ、あれ、ポアポア、かえさなくちゃ」

「いいです」

「え、その、もらっても、いいのかな。そう、ありがとう。その、記念にします。あ、その、よかったら、また、いつでも、きてください。ああ、あまいにおい、させられなくて、わるかったですね」

「いいんです」

トワイエさんがみおくってくれて、らせん階段をおりながら、あすはギーコさんとスミレさんの家にいこうとスキッパーは思いました。

橋の上でふりかえると、トワイエさんが木の上の屋根裏部屋の前で手をふっていました。スキッパーは手をふりかえして、自分の足あとをたどって雪の道を歩きはじめました。森のなかに、自分の足あとがふえていくな、と思いました。あすはもういちどこの道を通って、ギーコさんとスミレさんの家へいくのです。

そうだ、とスキッパーは思いました。あすは木の実と手紙のことをちゃんと話せるように、今晩練習しておこう。

湯わかしの家の前からは、足あとがもっとふえていました。足あとがふえていく、スキッパーは、もういちどそう思いました。

5 ギーコさんはためしたが スミレさんはあきらめた

つぎの日、ひさしぶりに粉雪がふっていました。

スキッパーは、ポケットにふたつの木の実と手紙をいれ、コートのフードをかぶって、足あとの消えかかった雪の道をギーコさんとスミレさんの家にむかっていました。ぶつぶつつぶやきながら歩いているのは、どういうふうに話すか練習したのをおさらいしているのです。

スミレさんは、ギーコさんのお姉さんです。ふたりの家は小さな山のふもとにあって、横になった大きなガラスびんがその山にうもれているというふうにみえます。うもれていないところが二か所あって、ひとつは入口です。ガラスびんの口がトンネルの入口のように山からつきでています。もう一か所はびんの横で、うす青いガラスが崖から出ていて、それがちょうど温室のように大きな窓になっているのです。

大きな窓は、夏はしげったつたの葉がおおい、秋は葉が赤くなり、冬には葉は枯れておちます。スキッパーは、バーバさんと散歩したとき、そういうつたの葉の変化をみたことがあるのです。でも、ガラスごしには家のなかはみえません。どうしてガラスなのになかがみえないのと、バーバさんにたずねたことがあります。

「ガラスごしには、明るいところから暗いところはみにくいのさ」とバーバさんはこたえました。「夜、なかにあかりがともっていれば、外からなかがみえるね」

スキッパーはそれを想像してみましたが、頭のなかにえがくことができませんでした。夜の森は歩いたことがないのです。

トワイエさんの家の前の小川からしばらく歩くと、もうひとつ小川があって、小さな山と、そのふもとの大きなガラス窓がみえてきました。つたの葉はすっかりおちて、うねうねとした枝が窓のガラスの上をはい、それに粉雪がふりかかっています。もちろんなかはみえません。くもり空で雪がふっているのに、外のほうが明るいのです。

スキッパーは入口のほうへまわりました。崖からつきでたガラスびんの口には大きなコルク栓が四角くほりぬかれ、木のドアがはまっています。ドアをノックしました。返事がありません。もうすこし強くノックしました。なんの音もきこえません。

もういちどノックしようとしたとき、だしぬけにドアが内がわにひらきました。ギーコさんが、ぬっとたっていました。手元に光ったものがあります。するどい小刀です。ぎくっとしました。

ギーコさんはだまったまま、にこりともしないで、じろりとスキッパーをみました。こんなふうにむかえられるなんて思ってもみませんでした。トマトさんもトワイエさんもにこやかにむかえてくれたのです。

じろりとみられたとたんに、スキッパーは、話すことばを練習してきたことさえわすれてしまいました。きゅうにどきどきしてきた胸のひびきだけをききながら、ギーコさんの黒いまえかけと小刀をみていました。

ほんとうはちょっとだけだったかもしれません。けれどずいぶん長い間、そうやってむかいあったままたっていたようにスキッパーには思えました。

とつぜんギーコさんはなかにはいってしまいました。

あ、あ、……。と、スキッパーは心のなかでいいました。ドアはあいたままです。ただギーコさんのうしろ姿をみまもっていました。

ギーコさんはどんどん奥にはいっていき、階段をのぼっていきます。部屋のなかはガラスごしの光のせいで青っぽく、スキッパーはまるで夢の世界をのぞきこんでいるような気がしました。

階段をのぼりきったギーコさんの姿が二階の通路に消えると、ドアをノックするらしい音がきこえました。

やがて女のひとが通路の手すりから身をのりだして、スキッパーをみおろしました。スミレさんです。スミレさんはまゆをあげ、口もとでにっこりわらいました。スキッパーはすこしほっとしました。ところがスミレさんは、こういいました。

「おやまあ、冬眠していたハリネズミが目ざめたっていうわけ？」

　え？　スキッパーは、いまきいたことばを頭のなかでぼんやりとくりかえしました。冬眠していたハリネズミが目ざめた？

　スミレさんは口もとにわらいをうかべたまま、長いスカートのすそを片手でつまみあげるようにして階段をおりてきました。階段のなかほどで窓のほうをみると、足をとめていいました。

「まだ粉雪がふっているわ」

　まだ粉雪がふっている、スキッパーはまたぼんやりと頭のなかでスミレさんのことばをくりかえしてしまいました。

　うしろからおりてきていたギーコさんも、スミレさんの上の段でたちどまって窓のほうをみました。階段にならんで横顔をみせているふたりは、スキッパーのことなどわすれているみたいでした。スミレさんがふっとわらいました。

「ハリネズミをさそいだした粉雪が、ね」

スキッパーはすっかり調子がくるってしまいました。ハリネズミ？　なぜスミレさんはハリネズミのことが気になるんだろう？　スミレさんのいうことは、スキッパーにはさっぱりわかりません。

「そんなところにつったってないで、ドアをしめて、コートをぬいで、はいってらっしゃい」

階段ののこりをおりながらスミレさんがいいました。

そんなところにつったってないで、ドアをしめて、コートをぬいで……。

そこまで頭のなかでくりかえして、やっと自分のことだと気づきました。いわれたとおり、ドアをしめると、そのとたんに外の森の音が消えました。いままで森の音なんて気がつかなかったのに、消えたので、あったことがわかったのです。音のない青っぽい夢の世界にはいりこんだみたいでした。

ギーコさんとスミレさんの びんの家

スミレさんの部屋

ギーコさんの部屋

← 空気のいれかえを
ちょうせつするひも

あかりとり
↓ の窓

スミレさん

ギーコさん

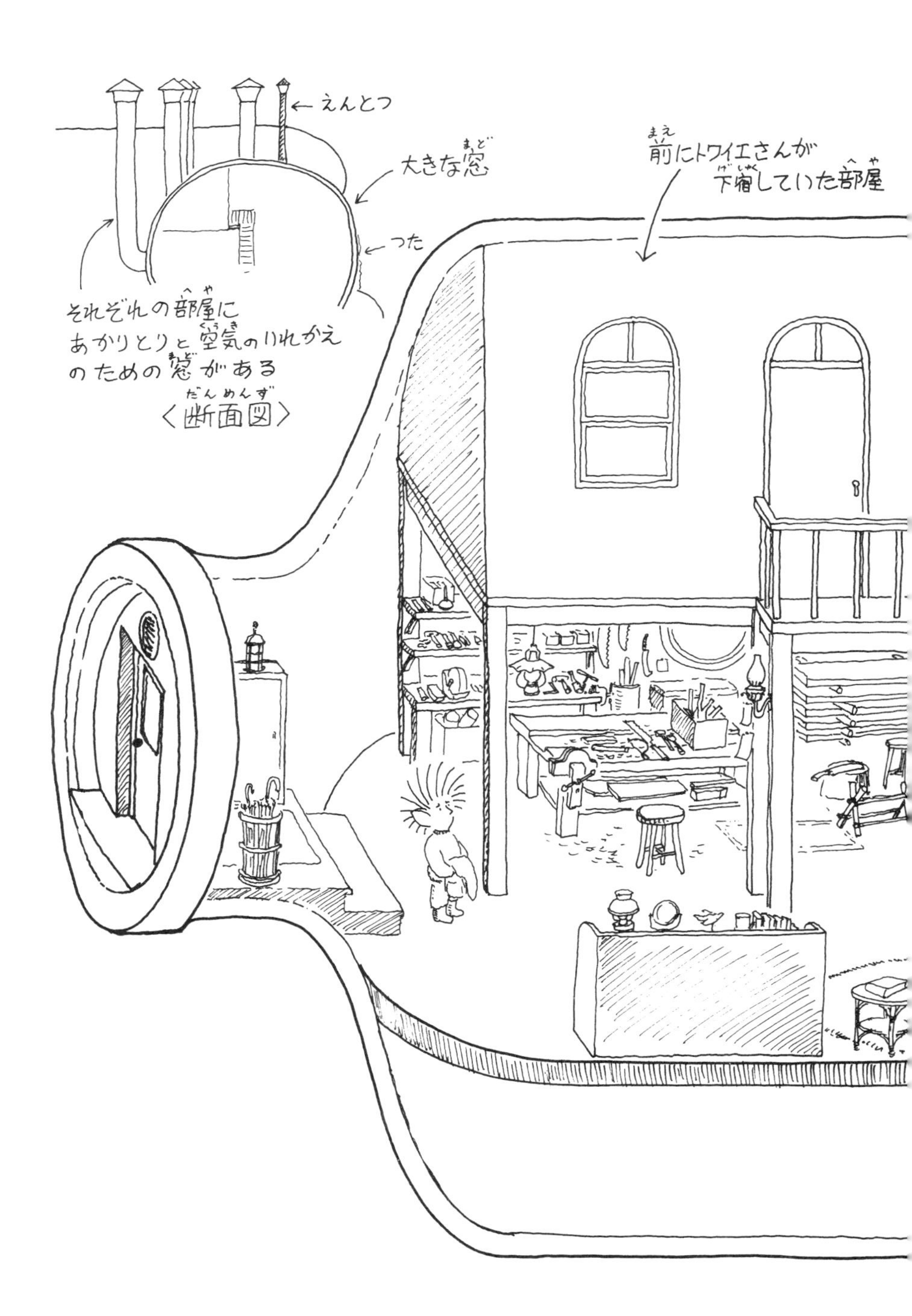

えんとつ
大きな窓
つた
それぞれの部屋に
あかりとりと空気のいれかえ
のための窓がある
〈断面図〉
前にトワイエさんが
下宿していた部屋

ぬいだコートは、どこにおけばよいのかわからず、両手でかかえたままにしました。なかはあたたかく、木と薬草のにおいがしました。すぐ左手がギーコさんの仕事場らしく、木のくずがちらばった作業台を中心に、いろんな大工道具がありました。右のガラス窓はなかからみるとほんとうに大きな窓で、うす青いガラスがゆるくカーブしていて、つたの枝がシルエットのもようになり、そのむこうに音のない粉雪の森が、絵のようにあかるくみえます。

窓の近くに、ガラス板を上にのせたテーブルと、植物のつるで編んだいすやソファがありました。

「目ざめたハリネズミさんはなにかのむ？」

スミレさんがスキッパーのほうをむいていいました。またハリネズミのことをいっている、とスキッパーは思いました。どこかにハリネズミがいるようにも思えません。

「あたしはブラックコーヒーをいただくわ。この子にはココアをね」

スミレさんは小さなあくびをして、植物のつるで編まれたいすにすわりました。ギーコさんは奥の台所へいきかけて、思いなおしたようにスキッパーのほうにやってきました。前まできて、さっきと同じようにじろりとスキッパーをみて小刀の手をうごかしたとき、スキッパーは、また、ぎくっとしました。ギーコさんは木くずのちらばる作業台の上に小刀をおくと、台所のほうへいきました。

「こちらにきて、おすわりなさい」

スミレさんはゆっくりと、おどるようなしぐさでソファをしめしました。なんだかそうっとうごいたほうがいいようなふんいきで、スキッパーは足音をたてないようにソファまでいって、すわりました。

「それで？」スミレさんはほほえみました。「眠りからさめたハリネズミさんは、どんなごようかしら」

眠りからさめたハリネズミ……。ここで、やっとスキッパーは、それが自分のことだとわかりました。ほおが赤くなりました。

「ぼ、ぼく、スキッパーです」

そういうと、こんどは耳まで赤くなりました。スミレさんは、わかっているわというふうに、ほほえんだまま、まゆをあげてゆっくりうなずきました。

「で？」

で？　で、なんだろ。

「で……？」

スキッパーは同じようにききかえしました。

「で、スキッパーのごようじは？」

そうだ。そうだった。ようやく夢からさめたみたいに、スキッパーはなんのためにここにやってきたのか思いだしました。同時に、どう話せばよいか

練習してきたことも思いだしたのです。ところが、ことばがすっと出てきてくれません。最初のことばが思い出せないのです。

スキッパーは、ごくりとつばをのみこみました。思い出せません。まわりをきょろきょろながめました。だめです。

そのとき、ギーコさんがふたつのカップをもってやってきました。ガラスのテーブルの上に、小さな音をたてて、カップはおかれました。

「おのみなさい」

スミレさんはほほえんだまま、あごをつきだすようにスキッパーのカップをしめしました。こんなときにのみものがあるのはありがたいことです。のんでいるときはしゃべらなくてもすみます。スキッパーは、熱いココアをすすりました。なにかハーブのかおりがしました。

せわしなくココアをすすりながら、ひっしで思いだそうとしました。なにかぴったりくる最初のことばがあったはずなのです。そのひとことがどうしても思い出せません。

もういいや、とスキッパーは思いました。トワイエさんにしたように木の実と手紙をみせてしまおう。カップをおくと、コートのポケットからふたつの木の実と手紙をとりだしました。

「みなれないものをもってきたのね」

木の実をみて、スミレさんがいいました。

スキッパーはうなずいて、

「じつは」

と、いいました。じつは。これです。これだったのです。最初にいうはずのことば。あとはすらすらと出てきました。

「じつは、バーバさんから、手紙と木の実が送られてきたんです。これが、その手紙です。読んでみてください」

そういって手紙をスミレさんにさしだしました。さしだすところも練習していたのです。ところがスミレさんは手紙をうけとらず、かわりに、仕事場のいすにすわってなにかのんでいたギーコさんがたちあがり、階段をのぼっていきました。スキッパーは手をひっこめるわけにもいかず、手紙をさしだしたままじっとしていました。

階段をおりてきたギーコさんは、めがねをもっていました。それをスミレさんの前にカチリとおきました。

「ありがとう」

スミレさんはめがねをかけると、やっとスキッパーのだるくなった手から手紙をとってくれました。そして手紙を読みました。

「ギーコさん」

読みおわった手紙はギーコさんにわたされました。

「それが、ポアポアなのね」

スキッパーは、木の実をひとつ、スミレさんにわたしました。練習では、手紙を読みおわったときに、これがポアポアですと、さしだすはずだったのです。

手紙を読みおわったギーコさんは、手紙をソファの上にもどすその手で木の実をひとつとりました。

スキッパーは、つぎのことばをしゃべりました。

「そ、それで、手紙に書いてある、たずねればよいだれかというのが、スミレさんかギーコさんじゃないかと思って……」

スミレさんはめがねの上からギーコさんの顔をみました。ギーコさんはゆっくり左右に首をふりました。スミレさんもギーコさんをみて同じように首をふりました。

スキッパーはそっとためいきをつきました。そして、ふたりがたずねる相手でないときにいうことばをいいました。

「トマトさんはゆでてみました。ポットさんは炒ってみました。トワイエさんは焼いてみました。みんな、だめでした」

「ハリネズミを目ざめさせたのは粉雪ではなく、手紙だったのね」

　またスミレさんは、スキッパーの予定にはないことをいいました。ハリネズミといわれるたびにちょうしがくるってしまいます。スキッパーは最後のところをくりかえしました。

「みんな、だめでした」

「みんな、ためしてみたのね。でもそのひとたちにだめなものなら、あたしにはどうすればいいか、まるで思いつきそうには思えないわ」

　スミレさんはあっさりあきらめて、ギーコさんのほうをみました。ギーコさんはだまったまま木の実を作業台の上におくと、ハンマーで軽くたたいてみました。かたい音がしました。つぎに強くたたいてみました。かたい大きな音がしました。われないのです。こんどはノミを出してきて、ノミの刃をあてて、木づちでたたきました。ノミの刃がはねて、木の実は作業台からころがりおち、床で大きな音をたてました。

ギーコさんはノミの刃をじっとみてから木の実をひろい、木の実をしらべました。そしてぽつんとつぶやきました。

「ノミの刃がかけるほど、かたい」

そして大きく首をひねって、しばらく木の実をみつめ、ノコギリをみて、それからノミの刃をみて、もういちど首をひねって、あきらめました。木の実をスキッパーにさしだすと、だめだというふうに首をふりました。

スキッパーは手紙とコートをとってたちあがりました。そして、まだ木の実をさしだしているギーコさんにいいました。

「それ、いいです。たくさんありますから」

帰ろうとするスキッパーに、スミレさんが声をかけました。

「もしもあたしに、眠りからさめたハリネズミさんに教えてあげることがあるとすれば、あとこのあたりにある家っていうと、湖のふたごの女の子の家だけってことね。といっても、あの子たちがこれの料理のしかたをしってるとは思えないけれどね」

コートのフードをかぶって、ひとり粉雪のなかを歩きながら、もうたくさんだとスキッパーは思いました。

せっかく練習していったのに、会話はまるでうまくいかなかったのです。ギーコさんはにこりともしないし、スミレさんはずっとスキッパーのことをからかっているみたいでした。

これで三日もつづけてだれかの家にいって、午後をつぶしてしまったのです。ほんとうだったら、好きなように本を読んだり化石をみたり空想にふけったり、好きなお茶を好きな濃さにいれてのんだりできる、大切な午後の時間を。〈つくりかたは……さんにたずねるとわかるでしょう〉という手紙のせいで、静かな生活はめちゃくちゃになってしまいました。

もうどこにもいくもんか、とスキッパーは思いました。

6 ふたごも　ためすには　ためしてみた

けれどウニマルにもどってひと晩すごすと、朝にはおちつかない気分になっていました。スミレさんがいったとおり、ウニマルの近くにすんでいて、スキッパーがたずねていける家といえば、あとは湖のふたごの家だけだったのです。

「わかったよ」

スキッパーはしかめっつらでつぶやきました。午後はふたごの家にいくことにしました。もうそこしかのこっていないということは、ふたごがポアポアの料理のしかたをしっているということなのです。

スキッパーは、木の実をふたつと手紙をポケットにいれ、あいかわらず粉雪のふっている森を、湖にむかって歩いていきました。湖は、トワイエさんの木の下の、小川の流れにそっていけばいいのです。

小川づたいの雪道をくだっていくと、やがてこおりついた湖がみえてきました。はじめは木のあいだにみえていた白い面がしだいに広くなり、岸辺までやってくると、ふたごの家がみえました。
その家は湖のなかの小さな島にあって、大きな巻貝のようにも、ねじれた灯台のようにもみえる形をしています。ひとがすれちがえるほどのはばの、木でできた桟橋が、岸辺から島までずっとつづいていて、その桟橋の上にも、湖の氷の上にも、雪がつもっていました。

このあたりまではバーバさんといっしょに散歩にきたことがありますが、桟橋を歩くのはきょうがはじめてです。もちろんふたごの女の子と話すのも、はじめてのことです。どういうふうに話すか、いちおうは練習しました。練習どおりにいかないことはきのうのことでわかっています。でも練習しておくのにこしたことはないと思ったのです。それにふたごは料理法をしっているはずですから、たくさんしゃべらなくてもわかるはずなのです。

スキッパーは、足をすべらせないように気をつけながら、そろそろと桟橋を歩いていきました。

島につくと、石の階段になります。階段のとちゅうの踊り場までのぼったとき、ぱっと玄関の扉がひらいて、ふたごの女の子がかけおりてきました。

「あんた、バーバさんちのスキッパーでしょ」

ふたりは声をそろえて、さけぶようにいいました。

「わたしたち、みてた。あの窓から」

「あんた、おっかなびっくり桟橋を歩いてた」

「あそびにきたの？」

「ご用できたの？」

どうみてもなにからなにまでそっくりのふたりは、声まで同じにきこえます。

「どちらにしても、わたしたちのところにやってきたことにはまちがいない」

「わたしたちのところにやってきたのなら、家のなかにはいったほうがあったかい」

「いっしょにお茶をのみましょう」

「あんた、なにのむ？　わたしはレモンティ」

「わたしは、アップルティ」

同じ声が右と左からぽんぽんとんできて、スキッパーは目がまわるような気がしました。ふたりはしゃべりながらスキッパーをひっぱって、家のなかにはいりました。玄関をはいるとすぐに階段で、四、五段のぼると扇型の部屋があり、花柄もようのソファにスキッパーはすわらされました。前のテーブルにはクッキーのはいった皿があります。

家のなかは左まわりに部屋と部屋が階段でつづいていて、ちょうど広い踊り場が部屋になっているというぐあいです。壁紙も窓のカーテンも全部花柄もようで、部屋全体に花の香料のにおいがしています。スキッパーはなにもいわないうちから、汗をかいてしまいました。

「スキッパーはきっとレモンティ」

ふたごの家(いえ)のなか
らせんかいだんの
おどりばに
へや がある
というかんじ

「いいえ、きっとアップルティ」

五段ほど階段をのぼった上の部屋から、お茶をいれているらしいふたりの声がきこえてきます。

「スキッパーの〈ス〉は、すっぱいの〈ス〉だから、レモンティ」

「スキッパーの〈ッ〉は、アップルの〈ッ〉だからアップルティ」

「お話をするとき、すっきりした気分になれるレモンティ」

「雪のなかを歩いてきたんだから、ほっこり気分になれるアップルティ」

ふたりはだまるということがありません。まるでさえずる小鳥です。こんなふたりがちゃんとわかるように料理のしかたを教えてくれるのだろうか。そう思いながらスキッパーはポケットからふたつの木の実と手紙をとりだし、ついでにコートをぬいでソファの背にかけました。

ふたりがそれぞれ両手にカップをのせた皿をもってテーブルにやってきました。スキッパーの前に、ふたつのカップがならびました。そしてむかいの席にふたりは自分のカップをおき、腰かけをもってきてすわりました。

「これがレモンティ」

左にすわったほうがいいました。

「こちらがアップルティ」

右にすわったほうがいいました。そして声をそろえました。

「さあ、お茶にしましょう」

ふたりはそれぞれのカップをもちあげました。スキッパーはどちらをのめばいいのかこまってしまって、クッキーを食べました。

「じつは……」

話しはじめようとすると、ふたりが同時にさえぎりました。

「お茶はのまないの?」

お茶……。どうしてもどちらかをえらばなくてはなりません。スキッパーは両手にそれぞれのカップをもって、まず右のほうをひと口のみました。

「ほら、アップルティ！」

右の子がさけびました。スキッパーはもうひとつのほうものみました。

「レモンティはふた口！」

左の子がさけびました。

「じつは」

「わたしのことは、アップルってよんで」

右の女の子がいいました。

「わたしのことは、レモンってよんで」

左の女の子がいいました。ふたりの名前をスキッパーはいまはじめてしりました。つまりふたりは自分の名のお茶をいれたというわけです。こりゃおぼえやすくっていいやとスキッパーは思いました。けれど考えてみると、ふたりがこうしてすわっているあいだしかその名前は使えないと気がつきました。ふたりのみわけがつかないのです。

ふたりの顔をみくらべて、目をぱちぱちさせているスキッパーに、ふたりはにっこりわらいました。スキッパーは、ここになにをしにきたのか思い出しました。

「じつは、ポアポアの料理のしかたを教えてもらおうと思って、やってきたんだ」

練習してきたことばは、これで全部でした。

「ポアポアの？」

「料理のしかた？」

「うん。これ」

スキッパーは、木の実をふたりの前にひとつずつおきました。

「これ？」

「ポアポアっていうの？」

え？　とスキッパーはふたりの顔をみました。

「あのう……、ポアポア……、しってるでしょう？」

ふたりは横目でおたがいの顔をみました。

「しってる？」

「しってる？」

たずねあったあと、同時にいいました。

「わたし、しらない」

スキッパーはおどろきました。

「しらない？」

ふたりは首を左右にふりました。ふりかたまで同じです。

「だって、もうきみたちしかいないんだよ」

「わたしたちしかいない？」

「それ、どういうこと？」

スキッパーはどういえばいいのか、わからなくなりました。

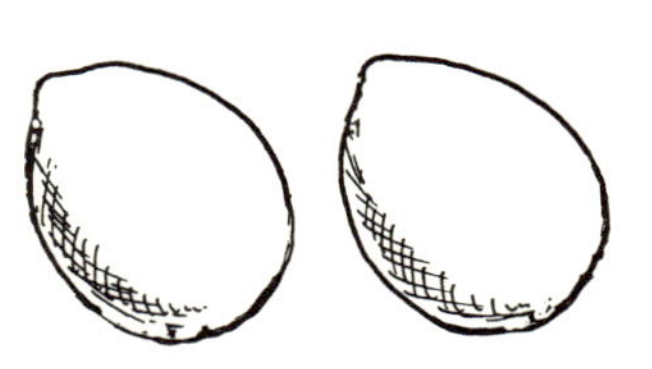

「ねえ、どういうこと?」

「わたしたちしかいないって」

いままでのことを全部話さなければならなくなってしまったようなのです。まさかこうなるとは思っていなかったので、スキッパーはことばを用意してきませんでした。なにから話そう、なにから。とにかく気分をおちつかせようと、目の前のお茶をのみました。

「アップルティをのんだ!」

アップルがうれしそうにいいました。スキッパーはあわててレモンティものみました。味なんてわかりません。

「レモンティはふた口」

「ううん、ひと口だった」

「ひと口みたいにみえるふた口だった」

スキッパーのひたいに汗がうかびました。ハンカチを出そうとコートをみると手紙がありました。そうだ、手紙だ。いままでの家でしてきたように手紙をみせればよかったんだ。

「あの、これ」

「ま、手紙。わたしに？」

「ううん、わたしに」

「あれ、こっちはにじんでる」

「うん、にじんでる」

「あの、読んで」

ふたりは顔をよせあって、手紙を読みました。読みおわって、同時に顔をあげました。

「その手紙と、ポアポアの木の実が、いっしょに送られてきて、手紙が、にじんで、読めなくて」スキッパーは、いっしょうけんめいに話しました。「その、だれかにたずねれば、料理のしかたがわかるはずで……。わかるはずでしょ？　その手紙に、そう……」

「うん、書いてある」

「たしかに、書いてある」

「で、もう、きみたちしか、いないんだよ」

「だから、それがわからない」

「どうしてわたしたちしかいないの？」

「いや、全部いったんだよ」

「全部って？」

「このあたりの家のひと、みんなにたずねたんだよ」

「トマトさんは？」

「ゆでてみた」

「じゃあ、トマトさんがたずねるひとだったの？」

「トマトさんは、たずねるひとじゃなかった」

「だのに、ゆでたの?」

「ためしてみたんだ」

「ゆでてどうなったの?」

「だめだった」

「ポットさんは?」

こういうふうに、いままでのことを全部話しました。

話しおわったときにはからだじゅうが汗でした。

「それで、わかった」

「よく、わかった」

「でも、わたしたち、しらない」

「こんな木の実、はじめてみる」

「わたしたちもなんとかしてみる」

「このまま、ひきさがれない」

ふたりは考えこみました。

「ゆでてもだめ、炒ってもだめ」

「焼いてもだめ、割ろうとしてもだめ」

「まるで、ほら、押してもだめ、引いてもだめの扉みたい」

「ほんと、押してもだめ、引いてもだめの扉みたい」

「あの扉なら」

「そう、あの扉なら」

ふたりは顔をみあわせてひとさし指をたて、声をそろえていいました。

「呪文！」

まさか木の実に呪文をとなえるつもりじゃないだろうな、とスキッパーは思いました。けれどふたりは、そのまさかをしました。それぞれの木の実を胸の高さにささげもち、しんけんな目でみつめると、小さな、しかし強いちょうしでいいました。

「ひらけ、ポアポア！」

ひらいたのはスキッパーの両目だけでした。

「呪文がちがう」

「べつの呪文があるはず」

ふたりはたちあがると、右と左にわかれました。レモンは下の段の階段に、アップルは上の段の階段に腰をおろし、それぞれの考えだした呪文をとなえはじめました。

「割れろポアポア！」

「ふたつになれポアポア！」

「くだけろポアポア！」

「やわらかくなれポアポア！」

なんてこった。スキッパーはそっと頭をかかえました。これまでのなかでいちばん料理ができそうにもないと思いました。

「ポアポアポッカリ！」

「ポアポアグンナリ！」

いったいなんのためにここまでやってきたんだろう。

「ポアポアパカッ！」

「ポアポアフニャッ！」

「ポアポアポカラン！」

「ポアポアグニャリ！」

つぎつぎに思いつくふたりの奇妙な呪文をきいていると、スキッパーは自分の頭のなかがポカランとしたり、グニャリとしたりするような気がしてきます。

「カラカラポッカリポアパラリン！」

「フムフムホワホワポアピメラン！」

スキッパーはもういやになってしまいました。頭のなかをひっかきまわされているような気分です。ふたりの思いつく呪文は、いつまでもつづくように思えました。小さな声なのにいやに力がこもっていて、木の実にはなんのききめもないのに、スキッパーにはこたえるのです。

やめてくれ、といおうと思ったとき、きゅうにふたりはだまりこみました。あきらめたのかとようすをみると、ふたりとも木の実を目の前にかざし、しんけんな目でにらみつけています。心の力を送っているようなのです。だんだんふたりの顔が赤くなっていきます。きっと息をつめているのでしょう。スキッパーもなんだか息苦しくなってきます。とつぜんふたりはさけびました。

「パカッ！」

「グニッ！」

スキッパーはびくっとしました。木の実はぴくりともしません。

ふたごの女の子はためいきをつきました。

「だめ。わたし百こも呪文を考えたのに」
「だめ。わたしも百こ考えたのに」
うそだろ、千こは考えたよ。スキッパーは心のなかでつぶやきました。

これまでのように木の実をふたりにプレゼントして、スキッパーは粉雪のなかをウニマルにもどりました。

けっきょくポアポアの料理法をしっているひとはみつかりませんでした。もうほかにたずねていく家はないのです。だれかにたずねるというのは、きっとバーバさんの思いちがいでしょう。やるだけのことはやった、とスキッパーは思いました。料理の方法はバーバさんがもどってから教えてもらえばいいのです。もしもそれまでに木の実がだめになってしまえば、それはそれでしかたがありません。

そうです。やるだけのことはやりました。この四日間は、いえ、ドーモさんがたずねてきた日からだと五日間です。この五日間は、それまでの生活では考えられないほど、たいへんな五日間でした。けれどあすからはもうだれの家へいくこともありません。もとのひとりの生活にもどることができるのです。静かに本を読んだり化石をみたりお茶をのんだりできる生活に。

7 スキッパーは雪の森で足あとをみつけた

つぎの日の朝、スキッパーはいつもよりおそく目がさめました。目がさめても、長いあいだベッドのなかでごろごろしていました。おきだしたのはお昼前です。朝と昼をかねた食事をしました。

長くねすぎていたせいか、頭のしんがぼうっとしています。

こんな日はからだをうごかしたほうがいいようです。まず、たまっていたせんたくをしました。雪はやんでいましたが、またふりだすといけないので、せんたくものはウニマルのなかにロープをかけてほしました。つぎに全部の部屋をそうじしました。甲板につもっていた雪も集めて貯水槽にほうりこみました。ストーブの灰がたまっていたのをすてにいき、まきを林のなかの小屋にとりにいきました。

さあ、これでもう仕事はありません。いよいよおたのしみの時間です。熱いミルクティをいれ、書斎にいきました。お茶をのみながら本を読もうというわけです。

きのこの本のつづきです。フワフワタケのつぎのページをひらくと、ヘロヘロピーという、ぐにゃりとしたきのこがのっていました。

——ヘロヘロピーはしめったところを好むきのこで、音に反応してからだをゆする性質があり、多くの場合密集してはえている。

そこまで読んでお茶をすすり、本に目をもどします。

——ヘロヘロピーはしめったところを好むきのこで、音に反応して……

あれ？　とスキッパーは思いました。同じところを読んでしまったのです。ひさしぶりに読むのでちょうしがくるったのかな、と首をかしげました。気をとりなおしてもうすこし先まで読みました。へんだなと思いました。以前のようには想像がひろがらないのです。目は字を追ったり、ヘロヘロピーがいっぱいの絵をみたりしているのに、それがありありとうかんでこないのです。

本を読むのはやめて、ミルクティのカップをもって、甲板に出てみました。

雪のつもった森は静かです。
静かすぎる。そう思って、雪の森を静かすぎるなんて思ったのははじめてのことだと気づきました。

どうしてこんな気分になるんだろう。静かなのは好きだったじゃないか。それどころか、あのそうぞうしかった五日間、ずっと静かさにあこがれていたじゃないか。スキッパーは手すりにもたれて、さめたミルクティをずずっとすすりました。

空をみました。くもっています。でも雪がおちてくるようにはみえません。まだ日も暮れないでしょう。

散歩にいこうかな。とつぜんそう思いました。そうだ、散歩にいこう。気分がすっきりするかもしれない。部屋にもどってカップをおくと、コートを着こんで、散歩に出かけることにしました。散歩にいこうなんて思ったのは、バーバさんが旅に出かけてからはじめてのことです。

雪のつもった森のなかを、ポットさんの家とは逆の方向に歩きだしました。こちらへは、バーバさんとの散歩でもあまり出かけたことはありません。歩いてしばらくして、ポケットのなかにバーバさんの手紙があることに気がつきました。きのうまでは、この手紙だけではなく、ポアポアの木の実もはいっていたのです。きょうそれがないことに、なにかものたりなさを感じました。

散歩をしても気分はすっきりしません。もうもどろうかと思ったときのことです。つもった雪の上に足あとをみつけました。それが、むこうからつづいてきて、とつぜん消えているのです。

くつのあとだから人間です。妙なのはふたりぶんのくつがこちらむきで、あとふたりぶんはむこうむきだということです。前むきのひとがふたり、うしろむきのひとがふたりやってきて、とつぜん消えてしまったのだろうか。そう考えてスキッパーはわらいだしてしまいました。そうではありません。

かんたんなことです。つまり、ふたりがむこうからやってきて、またむこうへひきかえしたということなのです。

ふたり。レモンとアップル、ポットさんとトマトさん、ギーコさんとスミレさん、三組(くみ)のふたりづれを思いうかべました。レモンとアップルではありません。足あとは、ひとつは大きくて、ひとつは小さいのです。ではほかのふた組(くみ)でしょうか。それにしてはむこうからきてむこうへひきかえすというのがへんです。そちらにはだれの家もないはずですから。となると、もしかするとしらないひとたちがこの森にいるのかもしれません。

考(かんが)えこんだスキッパーの手がポケットにはいり、バーバさんの手紙(てがみ)にさわりました。

はっとしました。そのひとたちがポアポアの料理(りょうり)のしかたをしっているのかもしれないのです。そのひとたちが森にいることをバーバさんがしっていたとすれば、考(かんが)えられないことはありません。

足あとをたどっていけば、そのひとたちにあえるでしょう。けれどスキッパーは木の実をもってこなかったのです。いまからウニマルにもどって木の実をとってこようか。そう思って空をみあげました。もう暗くなりかけています。とてもむりです。

あすにしよう、と思いました。あすは木の実をもってこよう、そしてそのひとたちをさがしてみよう。そう考えてウニマルにもどりかけ、すぐにたちどまりました。

まてよ。あすここにきて足あとをたどっても、もうそのひとたちはずっと遠くまでいっているかもしれない。たまたま旅のひとがここまできて、ひきかえしたのかもしれないいんだから。

いやいや、それならそれでいいんだ。もしもたまたま旅のひとがここまでやってきたのなら、それはバーバさんが手紙に書いただれかのことではないはずだ。ずっとここにいるひとでなければ、たずねればわかるなんて書かないはずだもの。

スキッパーは、またウニマルにむかって歩きはじめました。

やれやれ、また木の実のために時間を使わなきゃならない。そう思いながらもスキッパーは、さっきよりもずいぶん元気になっていました。

つぎの日は、早めの昼食のあと、手紙と木の実をふたつポケットにいれ、ふたりの足あとの場所に出かけました。うれしいことにきょうも雪はふっていません。きっと足あとはのこっているでしょう。

のこっていました。ユキモグラがくずしたところのほかは、くっきりと。

スキッパーは足あとをたどって歩きはじめました。

しばらくいくと、同じふたりの足あとが、いまたどっている往復する足あとを横ぎっているところに出ました。

どちらをたどっていけばいいのでしょう。足あとの重なりぐあいをしらべてみると、横ぎっているほうがあとからつけられた足あとだということがわかりました。そこで、そちらのつまさきがむかっているほうに進むことにしました。

どんどん進むと、森のなかを大きくまわっているようです。大きくまわった足あとは、また最初の往復する足あとを横ぎりました。そしてまた森のなかを歩きまわり、もとの足あとにもどりました。どうやらこのふたりづれは、あちこち歩きまわっているようなのです。

なんどもなんども、同じ足あとを横ぎりました。これでは往復する足あとのほうをたどったほうがいいかもしれない。そう思ったとき、雪がふってきました。

いけない、足あとが消えてしまう。きょうのところはひきかえそう。そう思ったのですが、ずっと足あとばかりに気をとられていたので、いったいどこに自分がいるのか、どちらにむかっていたのか、さっぱりわからなくなっていたのです。

はやく往復する足あとまでもどろうと思いました。あの足あとまでもどれば、それをたどってもとの場所にいけるはずです。スキッパーは雪の道を走るように歩きました。息がきれます。

ありました。往復する足あとです。古いほうの足あとのむかっているのがもとの場所にもどる道です。けれどスキッパーは息をのみました。

足あとはのこっているのですが、雪がつもって、どちらにむかって歩いているのが古い足あとかわからないのです。足あとにつもった雪をそっとはらってみました。だめです。わかりません。

空のぐあいをみてウニマルの方向をさぐろうと思いました。が、雪のふってくる空はどちらも同じようにみえます。こうしてじっとしていると、この足あとさえみえなくなってしまうかもしれません。

スキッパーは心をきめました。右へいこう。

足あとにそって、どんどん歩きました。雪は音もなくふってきます。自分のはあはあいう息の音と、雪をふみしめる足音だけをききながら、歩きつづけました。まわりのけしきはみたようにも、みたことがないようにも思えます。不安がひろがってきます。けれど、とまるわけにはいきません。歩きつづけるほかないのです。

雪は足あとをだんだんかくしていきます。いつのまにかすごい雪になっていました。走るように歩いていたはずが、ゆっくりになっています。足あとをさがしにくいのです。

――雪がふっているときに森にはいっちゃいけないよ。

バーバさんがそういっていたのを泣きたいきもちで思い出しました。

――しかたがなかったんだよ。とつぜんふりだしたんだよ。

スキッパーは、なんのやくにもたたないいいわけを心のなかでくりかえしながら歩きました。

もう足あとなんてわかりません。わかっているのは、すっかり道にまよってしまったことと、つかれきっているということだけです。まわりもずいぶん暗くなっています。

とつぜん道がゆきどまりになりました。目の前は岩の壁です。それが右にも左にもつづいています。崖です。こそあどの森に崖があるなんてしりませんでした。どちらへいけばいいのでしょう。スキッパーは岩のくぼみにはいりこみ、雪をさけることにしました。

岩にもたれていると、荒い息がおさまってきます。かわりに寒さと不安がましてきました。雪はあいかわらずふってきます。音をたてずにつぎからつぎにふってきます。このままじっとしているとどうなるんだろう、と思いました。どうなるんだろう……。死んでしまうかもしれない。どきんとしました。死ぬって、どうなるんだろう……。

遠く、きれぎれに、やさしい音楽がきこえたような気がしました。

こんな雪の森で音楽が……。ぼくは死にかけているんだろうか。ぶるっと頭をふりました。気のせいです。音楽なんてきこえるはずがありません。きっと風の音です。

それでも気になって耳をすましていると、またかすかにきこえました。風ではありません。笛の音のようでした。

だれかいるのかもしれない。胸がどきどきしてきました。だれかが笛をふいているのなら、そこまでいけば助けてもらえる。

スキッパーはコートのフードをぬいで、ふりしきる雪のなかに出てみました。右をむいたり左をむいたり、上のほうに耳をむけたりして、音のくる方角をさぐろうとしました。

きこえます。どうやら、右のほうからきこえてくるようなのです。

暗さのましてくる雪の森を、かすかな音をたぐるように、スキッパーは崖ぞいに右のほうへ歩きはじめました。音はさっきよりはっきりときこえるようです。まちがいありません。だれかが笛をふいているのです。

笛は二本あるようです。きっと、あの足あとのふたりでしょう。とてもきれいな曲でした。やさしく、ものがなしく、なつかしいような気分にさせる曲です。いったい、どんなふたりがふいているのでしょう。

とつぜん音が大きくなったと思ったら、崖に大きな洞窟がありました。洞窟の、はいってすぐのところに箱型の荷車があって、穴の奥のほうから光がもれています。音楽も光のほうからきこえてきます。助かったのです。

スキッパーは岩壁をさわりながら、足もとに気をつけて、ゆっくり洞窟のなかにはいっていきました。煙のにおいもします。たき火をしているのでしょう。穴のなかにひびく笛のしらべが、からだをつつみます。

なかはとちゅうでまがっていて、まがるとあかるさがましました。もういちどまがると、ふたりのすがたがみえました。

8 洞窟のふたりもためしてみた

たきびの両がわでむかいあってすわったふたりの男のひとが、からだをゆらせながら、目をとじて、たて笛をふいています。ひとりはひげのある背の高いひとで、もうひとりは小さなひとです。背の高いほうが長い笛を、小さいほうが短い笛をふいています。からだをゆするのにあわせて、ふたりのうしろの岩壁にのびあがった影がゆれました。

スキッパーはじゃまをしてはいけないような気がして、曲がおわるまでまっていようと思いました。けれど、そう思ったとたん、足が岩の上ですべって、音をたててしまいました。

とつぜん曲がとまって、ふたりが声をあげました。

「ひえーっ！」

「だれだ！」

小さいほうは頭をかかえてもっと小さくなり、背の高いほうはすばやくたちあがって身がまえました。

スキッパーはびっくりしてしまいました。あのやさしくものがなしいきれいな曲（きょく）を演奏（えんそう）していたふたりが、こんなにおおげさな反応（はんのう）をするとは思えなかったのです。

背（せ）の高い男は、あっけにとられてたちすくんでいるスキッパーをみて、それからスキッパーのうしろにだれもいないのをたしかめて、からだの力（ちから）をぬくと、ひげの顔でにっこりわらいました。

「おいおい、おどろかせないでくれよ。いやいや、おどろかせちまったのはこっちかな。あんた、ひとりでやってきたみたいだな」

だれだ、とさけんだときのするどい声とはうってかわったやさしい声に、スキッパーはほっとして、うなずきました。

「ぼ、ぼく、道に迷（まよ）ってしまったんです」

「まさか！　信（しん）じられねぇ」頭をかかえていたほうが、すわりなおして目を大きくしました。「こんな森のなかで、まいごになっているなんて」

背の高いほうが首をすくめました。

「それをいうなら、おれたちだって信じちゃもらえんぜ。こんな森のなかに旅の笛吹きがいるなんてよ。あ、おれたちゃ笛吹きなんだ。こいつはマサカ。おれはナルホド。で、あんたは？」

「ぼく、スキッパー。この森のウニマルって家にすんでるんです」

「なるほど、こそあどの森にもなんにんかすんでるってきいていたが、このあたりにすんでいたのか。さあ、これで信じられるな、マサカ」

マサカとよばれたほうのひとは、しばらくスキッパーをみていましたが、にっとわらいました。

「うん、信じた。スキッパー、こっちにきて火にあたんな」

それはうれしいことばでした。スキッパーがたき火に近づくのといれちがいにナルホドは洞窟の入口のほうへいきました。すぐにもどってくると、毛布を一枚もっていました。荷車からとってきたのでしょう。それをたたんで、スキッパーのすわる場所をつくってくれました。

「コートをぬいで、かわかしたほうがいいぜ。」

ナルホドにいわれて、コートをぬいで、うしろの岩にひろげました。洞窟のなかはかわいていて、あたたかでした。

スキッパーが腰をおろして、まだかじかんでいる手を火にかざしていると、自分の毛布にすわったナルホドがいいました。

「こごえたからだにゃ火もいいが、腹のなかからぬくめるってのも悪くないぜ。マサカ、晩めしにしようじゃないか」

「よしきた」

マサカはたちあがると、荷車から缶づめを三つとなべをとってきました。なべには雪がはいっています。ナルホドはそのなべをたき火のなかにおきました。ちょうどなべをささえるように石がおかれています。マサカは缶切りで缶をあけ、なかみを、雪がとけかけたなべのなかにいれました。そしてう

しろにおいてあった湯わかしをもって外に出ていくと、これにも雪をつめこんでもどってきました。湯わかしも、たき火のなかにおかれました。

「これでまつばかりってわけだ」マサカはすわると、スキッパーの顔をなめにみあげました。「ところで、スキッパー。いったいどういうわけでまいごになっちまったんだ。まさか雪の森で海賊フラフラの宝をさがしていたってわけじゃねえだろ？」

「おい、マサカ」ナルホドが舌うちをしました。「なんてとっぴょうしもねえことをいうんだ。スキッパーがどういうわけで道に迷ったか、それはスキッパーのわけってもんがあるんじゃねえか。おれたちにはかんけいがねえだろ」

「いえ、かんけい、あるんです」

スキッパーは、口をはさみました。

「かんけいがある？」

ふたりはスキッパーをみました。

「ぼく、足あと、たどっていたんです」

「足あと？　だれの」

マサカがたずねました。

「きっと、その、あなたがたの、だと思うんです」

「おれたちの？　どうして？」

「その、森のなか、歩きまわりませんでしたか？」

ふたりは顔をみあわせ、ナルホドがうなずきました。

「たしかにおれたちは森のなかを歩きまわった。だがどうしてその足あとをつけようなんて思ったんだ？」

「あのう、バーバさんをしってますか？」

「バーバさん？」

ふたりは声をそろえました。

「博物学者（はくぶつがくしゃ）なんです」

「おまえ、しってるか？」

ナルホドにたずねられ、マサカはぶるぶるっと首をふりました。ナルホドは肩をすくめました。

「おれも、しらねえ。学者ってのはあんまりつきあいがねえほうなんだ」

スキッパーはためいきをつきました。やっぱりちがったのです。

マサカが首をかしげていいました。

「おれたちがバーバさんってひとをしらなくて、わるかったみたいだな」

「いえ、わるかったなんて……」

「で、もしもバーバさんってひとをしっていればどうだったんだ？」

「じつは」

スキッパーはコートからとりだした手紙と木の実をみせ、これまでのことを話しました。毎日のように話していたせいか、雪のなかからたき火のそばにきてほっとしたせいか、いままでいちばんうまく話せました。

「なるほど、よくわかったよ。ふむ、こいつがポアポアっていう木の実か。やけにかたそうだな。おい、マサカ、こいつの料理をしってるか」

「おりゃあ、しらねえ」

「おれもしらん。だがな、こりゃあきっと、もどすんだぜ」

「もどす？」

「そうよ。ノミの刃がたたねえ木の実なんざあるわけがねえ。こいつはもともとの木の実をどうにかして、かたくしているにちがいねえ。だから、もういちどどうにかすると、もとのやわらかさにもどるってわけよ」

「どうにかするって？」

「たとえば、水につけるとか」

「ゆでてもだめだったてのにか？」

「たとえばっていってるじゃねえか」

スキッパーはふたりのやりとりをきいていて、いったいこのふたりはどういう笛吹きなんだろうと思いました。さっきの音楽とまるでにあわないふんいきなのです。

「そうだ、スキッパー。さっきの手紙に、たしかそのバーバさんってひとは南の島にいるって書いてあったな。島っていうからには、海水があやしいとおれはみるな。塩水につけるんじゃねえか、これ」

「おいナルホド、まさかこいつがつかるほどの塩水をつくろうってんじゃないだろうな。おれたちの塩を全部使っちまうことになるぜ」

「だれがどぼんとつけるっていったよ。いいから塩のびんをかしてみろ」

ナルホドは、マサカがふくろからとりだした塩のびんをうけとると、たちあがりました。あちこちみまわして岩のくぼみをみつけ、ふっと息をかけてほこりをはらい、すこしだけの塩をのせ、湯わかしの雪がとけたのをちょっぴりたらし、指でかきまぜました。

「ほうら、塩水のできあがりってわけだ」

「そんなすこしじゃ、つからんぜ」

「だれがまるごとつけるっていったよ」

木の実をそのくぼみにのせました。

「ひとところだけでももどりゃ、そこからなかみがとりだせるってもんじゃないか」

「考えやがったね」

そうこうしているうちに、なべからはいいにおいがしてきました。ケチャップ煮だなとスキッパーは思いました。マサカはふくろから出した、かたそうなパンのかけらをいくつかなべにいれ、ぱらぱらと塩もふりかけました。

「なあ、スキッパー」ナルホドは陽気にいいました。「おれのこの悪い頭で思いつくってのはこれくらいのことなのさ。もしも、うまくいかなくてもがっかりしないでくれよな。マサカ、どうだ？ もうすぐ食えるな。もうちっとのしんぼうってやつだ。そうそう、スキッパー、あんた、ここには長いこといるのかい?」

「十年ぐらい」

「それじゃあ、こそあどの森に古くからつたわる話、なんてしらねえかな」

「おう、古くからつたわる話」マサカが口をはさみました。「だれかが宝物をかくしたとか、な」

「いいかげんにしてくれよ、マサカ。いやね、スキッパー、こいつはじょうだんばっかりいうんだよ」

古くからつたわる話なんて、スキッパーはきいたことがありませんでした。

「そうか、しらねえか。いや、いいんだよ。古そうな森だから、そんな話のひとつもあるかなって思っただけなのさ。おっと、晩めしができたようだぜ」

マサカは、さっきの缶づめのあき缶に、なべのなかみをよそいました。

「あついから気をつけな。缶のふちでくちびるを切るんじゃねえぞ」

マサカがそういって、スプーンといっしょに缶をわたしてくれました。スキッパーは、ハンカチでくるんで缶をもちました。さっきから、おなかがぺこぺこだったのです。ひとさじすくって、ふうふうふきました。スプーンの上には、肉と豆のケチャップ煮のしるをすってほわほわになったパンがのっています。ゆっくり口のなかにいれました。はふはふしながらかむと、あついしるが口のなかにひろがりました。

洞窟のなかは、三人のはふはふいう音がつづきました。

マサカがおかわりをよそってくれて、おなかがいっぱいになったところでお茶になりました。同じあき缶をゆすいでいれてくれたお茶は、なんというお茶かスキッパーにはわかりませんでしたが、さとうのはいっていない、すっきりした味でした。

「さてと、ポアポアのおじょうさんのごきげんはどうかな」

ナルホドがたちあがると、影が洞窟の岩壁に大きくのびあがりました。スキッパーはなんだか冒険物語の登場人物になったような気分がしました。そして、ふっとマサカが口にした宝さがしということばが頭にうかびました。けれどその気分は、ナルホドの陽気な声で消えてしまいました。

「なんてこった。おじょうさんはかたいまんまだ。こりゃあもっとつけておかんとわからんぞ。スキッパー、あしたの朝までつけておこうじゃないか。ここにとまっていくだろ？　雪の森に出ていくこたあねえよ。どれ、雪のふりぐあいをみてこよう」

　火のついた枝を一本たいまつがわりにもつと、ナルホドは洞窟の入口のほうへいってしまいました。

「おれはね、スキッパー」マサカがもうひとつの木の実を手にしていいました。「これって、かじるんじゃないかって思うんだよ」

　スキッパーはマサカがじょうだんをいっているのだと思いました。ところがマサカは口をあんぐりとあけ、木の実に歯をたてようとしました。もちろんだめです。それでもあきらめず、ぺちゃぺちゃなめました。

「あいかわらず、ふってやが……」

もどってきたナルホドは、マサカをみておなかをかかえてわらいだしました。

「おまえ、なにをしようってんだ？　ええ？」

「そういうけどよ、これ、なめるとすこしあまいんだぜ」

スキッパーには、マサカがじょうだんをしているのか本気なのか、わかりませんでした。

つぎの日の朝、雪はやんでいました。

あかるい光のなかでみると、荷車はとてもうまくできていました。車輪にいくつものそりをはかせることができるのです。そしてなかにはいろんな道具がそろえられていて、つまりこの荷車がふたりの家具のすべてのようでした。まわりの色やもようもたのしくて、きっとふたりが笛をふくときに背景の役をするのだろうと、スキッパーは思いました。

塩水につけていたポアポアはかたいままでした。マサカのほうは、ねむりながらもなめていたようなのですが、こちらも変化はありません。

スキッパーはこれまでのように木の実をふたりにプレゼントし、ウニマルにもどることにしました。ふたりはウニマルがみえるところまで、ついてきてくれました。

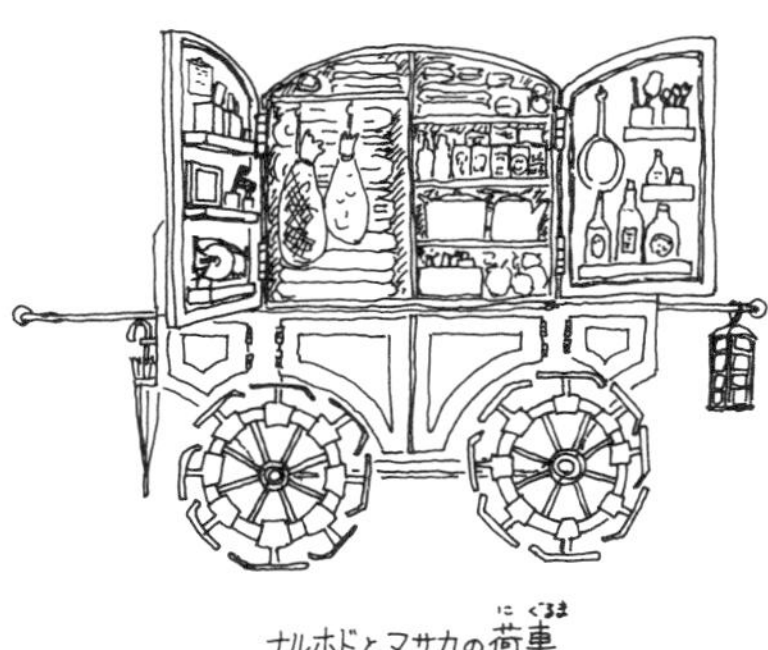

ナルホドとマサカの荷車

9 春がきた

洞窟からもどってからというもの、スキッパーはどこにもいかずに、ウニマルですごしました。

テーブルの上にまだ十こほどのポアポアの木の実がつまれたままになっていましたが、あまり気にならなくなりました。こんどこそほんとうに、するだけのことはしたように思えたのです。

どこにもいかずにすごしはしましたが、ドーモさんとポットさんがやってくる前とは、ちょっとちがうすごしかたになりました。

まず、読む本がかわりました。きのこの本はとちゅうでやめて、冒険の物語など、人間の出てくる本を読むようになりました。そのなかでおどろいたのは海賊の物語で、マサカのいったフラフラという海賊は、どうやらほんとうにいたらしいのです。

それから、化石をみて想像する世界に、アップルとレモンや、ポットさん、トワイエさんたち、この森ででであったひとたちが登場するようになりました。

そしていちばんかわったのは、あのあわただしかった七日間のことを思い出す時間がくわわったということです。

ドーモさん、ポットさん、トマトさん、トワイエさん、ギーコさん、スミレさん、アップルとレモン、そしてナルホドとマサカ、それぞれのひとがどういったのか、どういうしぐさをしたのか、生活のあいまにふっと思い出しているのです。あのひとはいまどうしているのだろうと考えていることもあります。たずねていこうかと思ったことさえあります。たずねていこうかなんて思ったりすることに、スキッパーは自分でもおどろいたりもしました。けれどじっさいにだれかの家へ出かけることはありませんでした。たずねていく理由がなかったのです。

もしもだれかがたずねてきてくれれば、こんどはぼくがお茶をいれてあげるのに、と思ったこともあります。あるときなど、話し声や足音がきこえたような気がして、甲板にかけのぼったことがあるぐらいです。でもだれもたずねてきてはくれませんでした。

　そういうふうにして二十日間あまりを、スキッパーはひとりですごしました。

　そしてある朝、太陽の光でめざめました。天窓からさす光が、まぶしく壁を照らしていたのです。スキッパーはとびおきて、ねまきのまま甲板に出ました。

　東の空に太陽がのぼっています。なんてあかるいのでしょう。空はまっ青です。あの重苦しい冬の雲はありません。春になるのです。スキッパーは深呼吸をしました。

　そのあと部屋にはいって、おや？と思いました。なんだかいつもとちがうにおいがします。なんのにおいだろう。草のにおいのようにも思えます。すぐにわかりました。

　ポアポアです。十こほどの木の実から、白っぽい芽が出ていたのです。

「わあ！」

なんだか胸がどきどきしました。つんであった木の実をテーブルの上にならべなおしてゆっくりながめました。あんなにかたかったのに、芽が出てくるなんて、ふしぎだなあと思いました。そう思ったとき、バーバさんの手紙に〈ふしぎですね〉と書いてあったのを思い出しました。そして、あのあわただしかった七日間のことを思い出しました。

あのひとたちに、芽が出たことをしらせにいこうかな、と思いました。けれどすぐに、こんなことでたずねていくのはへんかなと思ってしまいました。

どうしよう、どうしようと思いながら朝食をすませ、そのあとかたづけをしていたスキッパーは、ひとの話し声をきいたような気がしました。前にもそんなふうに思ったのにだれもいなかったので、こんども気のせいだと思いました。でもきこえます。それも、だんだん近づいてくるようなのです。

もしかすると、ほんとうにだれかやってくるのかもしれない。それなら、

芽が出た
ならべてみた
なにかきこえる

ポアポアに芽が出たことを教えてあげよう。スキッパーは木の実をひとつもって、甲板に出てみました。

ほんとうにひとの姿がみえました。重なった木のすきまごしに、ポットさんの家のほうから、ひとかたまりのひとびとが、なにやら話しながらやってくるのです。

いったいなにごとがおこったというのでしょう。もう、はっきりと姿がみえます。ポットさん、トマトさん、トワイエさん、ギーコさん、スミレさん、アップルとレモン。スキッパーは、いちどにこんなにたくさんの森にすんでいるひとたちをみるのははじめてです。

ウニマルの甲板のスキッパーの姿がみえたのでしょう。手をふるひとがいます。

「おうい、スキッパー」

アップルかレモンです。

「お、おうい」

スキッパーも、おずおずと手をふりかえしました。

「おうい、スキッパー」

とつぜん反対のほうから声がきこえました。甲板の反対がわにかけよると、ナルホドとマサカがやってきます。こちらのほうが近くて、ふたりともなにかをもっているのがみえます。ポアポアです。木の実をもっています。

「おうい、芽が出た、芽が出た!」

マサカが木の実をもちあげています。

「ぼくのも、芽が出た!」

おもわずスキッパーもポアポアを頭の上にかざして、さけびかえしていました。

スキッパーはまちきれずにはしごをおりました。スキッパーのしっているひとたちが、ぞくぞくとウニマルの広場にやってきます。そして、そのだれもがポポアポポアをもっているのです。どうやらすべてのポポアポポアから芽が出たらしいのです。

スキッパーは自分がわらっているのに気がつきました。どうしてわらっているんだろう。わらわないでおこうと思っても、なんだかうれしさがこみあげてきて、どうしても顔がわらってしまいます。

たちまち広場は、あつまってきたひとたちの声でいっぱいになりました。

「ほら、みんなのポポアポポアの芽が出たのよ！」

「ぼくのも全部、出たよ！」

「みんないっしょに出たんだねえ」

「春になるから、芽が出たのね」

「きみたちは芽だ、芽だといっているけれど、ぼくは根かもしれんと思っているんだ、じつは」

そういったのはポットさんです。

「炒ったり、ゆでたりしたのにねえ」

「ぼくは、その、ん、焼いたのに」

「うちでは、わたしがさきにみつけた」

「でも、わたしのが芽が大きい」

「あの、これ、木の実って、いってますけど、種、といったほうが、んん、いいかもしれませんね、ええ」

「ええっと、はじめておめにかかりますが」

「おれたちゃ、いえ、わたくしたちは笛吹きなんでございまして、その、ちょいとしたことでスキッパーとしりあいになりやしてね。え、わたし、ナルホドともうしやす。こいつ、いえ、こちらがマサカ。おい、あいさつしねえか」

「は、わたし、マサカ」

「わたしはポットです」

「あ、お名前はスキッパーからうかがっておりやす」

「みなさん、こちらはナルホドさんとマサカさん。笛(ふえ)をふかれるかたたち」

「いえ、かたたちってがらじゃ……」

「ハリネズミはすっかり目がさめたようね」

「スキッパーです」

「わかっているわよ」

「ねえ、それにしても、これ、この芽(め)を食(た)べるのかしら」

「根(ね)かもしれんがね」

「いえ、トマトさん。それ、まだ、その、あまいにおいというものが、していませんから」

「そうさ、まだ食(た)べられんよ」

「じゃあ、このあとどうすればいいのかしら」

　みんなが首(くび)をひねったところで、アップルとレモンがすばらしいアイデアを出しました。

「そんなの、きまってるじゃない」

「うえるのよ、ねえ」

トワイエさんがさんせいしました。

「そ、そうです。料理のしかたは、バーバさんにたずねなければ、その、わかりません。とはいえ、このまま、ほうっておくわけにも、その、いかない。うえると、うまくいけば育って、またこの実ができるかも、ええ、しれませんね。料理は、それからでも……」

トマトさんは反対しました。

「もしもうえて育つとしてもよ、実ができるまでに何十年もかかる木だったらどうするの？　これはきっと芽が出たところでゆでるのよ」

「根かもしれんがね。でもトマトさんがそう思うのなら、きみのはそうすればいいよ」

「じゃあ、あなたはどうするの？」

「ぼくのは、うえる」

「んま」

けっきょく、トマトさんのほかは全員うえることにしました。

「なあ、スキッパー。おれたちのは、あんたのといっしょにここにうえてくれねえかな。おれたちあす出発するんだ」

ナルホドがいいました。

「じゃあ、わたしのもここにする」

「わたしがさきにそう思ってた」

アップルとレモンもそういいました。

「そういうことなら、んん、ぼくのも」

ほかのひとたちもさんせいして、トマトさん以外の全員がここにうえることになりました。スキッパーはスコップとのこりのポアポアをとりだしてきました。

ウニマルのまわりをとりかこむように、それぞれがすきな場所をきめ、雪をのけて地面をだし、スコップで土をほり、うえました。ほとんどのひとは出ているのは芽だと思っていましたから、それを上にしてうずめましたが、ポットさんだけは根かもしれないと思っていたので、横にしてうずめました。

みんなが帰ったあとで、スキッパーはお茶を出さなかったことをくやみました。けれどつぎの日から、みんなはときどきウニマルの広場にやってくるようになりました。芽が土の上にでているかどうかをみにきたのです。そんなときにスキッパーはお茶を出すことができました。

太陽は毎日出て、雪はどんどんとけていきました。五日めにはほとんどの芽が土から顔を出しました。ポットさんのだけが六日めになりました。やはり芽だったようです。十日めには葉が出ました。葉が出ると成長がはやくなり、十五日めには、スキッパーの背ぐらいの高さになりました。

そして、すっかり雪が消えた十六日めに、ドーモさんが手紙をもって、ポットさんといっしょにやってきました。ドーモさんがバーバさんに書いた手紙の返事がとどいたのです。

スキッパーは、ドーモさんとポットさんがのぞきこむなかで、手紙の封を切りました。


スキッパー、元気ですか?

そちらはそろそろ春ですね。

ドーモさんから手紙がきて、前の手紙の二枚めがわからなくなったこと、しりました。わたしは手紙は下書きをしてから書くので、二枚めになにが書いてあったか、全部わかります。ですから、前のと同じようにもういちど書きます。

これが一枚めです。二枚めには、こう書かれていました。


　そこで、これの料理法です。

まず、これを このまま おいて おきます。すると芽が出てきますから、それを土にうえます。やがて花がさいて実ができます。その実があまいにおいを出すころ、つみとって、そのままさとうといっしょに煮ます。ジャムのつくりかたは、ポットさんのおくさんのトマトさんのつくりかたがすてきだから、トマトさんにたずねるとわかるでしょう。

ジャムができると種がのこります。この種は そのままおいておくと、つぎの年の春に芽を出すのです。

　わたしが送る種も、こうしてジャムをつくったあと、のこったものなのです。いちど煮たのに芽を出すなんて、ふしぎですね。

　ではまた。

いつも、あなたのことを思っています。

ナンデモ島、カンデモ亭にて

一月 十六日　バーバより

「よかった！」

ポットさんがさけびました。

「よかった」

スキッパーもいいました。うえたのはまちがいではなかったのです。

「よかった……」

ドーモさんは、ひたいの汗をぬぐいました。

「スキッパー、ぜひトマトさんにジャムのつくりかたを教えてもらってくれ」

ポットさんが、肩をすくめていいました。「じつはトマトさんはあれをゆでて、すっかりだめにしてしまったんだ。それで、ずっとしょげているんだよ」

10

特別な料理法

五月になると、ポアポアはスキッパーの背の二倍ほどの高さになり、ひとつの木にひとつかふたつのオレンジ色の大きな花をさかせました。

ふたつさいたのは、横むきにうえたのがよかったのか、ポットさんのポアポアでした。ポットさんは、ひとつはトマトさんのぶんだよといったので、トマトさんは「キスして」といいました。ポットさんはウニマルのはしごにのぼってキスしました。

だれもがいれかわりたちかわり、みにやってくるので、スキッパーはお茶ばかりいれていました。

やがて花が散って青い実ができました。実はどんどん大きくなり、その重さがますにつれてしなやかな幹はアーチ型にたわみ、赤く色づいた実が地面についてしまうころ、あまいにおいを一面にただよわせました。

六月になった日、もういいだろうと、トマトさんの指揮で、みんなでジャムづくりをすることになりました。

まずポアポアの実を切りとって、湯わかしの家にはこび、きれいな水であらいました。そして皮をむいて大きななべにいれ、さとうをふりかけました。しばらくするとポアポアから水分が出てきました。なべを火にかけ、アクをすくいながら煮つめました。これが一日めです。トマトさんは、あすも全員やってくるように命令しました。

つぎの日、湯わかしの家にあつまったみんなに、トマトさんはこういいました。

「わたしのジャムのつくりかたは、ここからがだいじなところなの。いまから順番にまぜるのよ。でも、ただまぜるのじゃだめ。うれしかったこと、たのしかったことを思い出しながらまぜるの。ひとり三回まぜるから、うれしかったこと、たのしかったことを三つきめておくのよ」

「すてき!」

アップルとレモンが声をそろえました。

「それは、んん、その、おもしろいですね」

トワイエさんがにっこりすると、スミレさんが首をかしげました。

「ねえ、それって、ずうっと昔のことでもいいのかしら」

トマトさんは大きくうなずきました。

ギーコさんはだまったままうでをくんで、天井をみあげました。

「なにをえらぶか、迷うだろ」

ポットさんがトワイエさんにいいました。

「んん、そう、そうですね。ポットさんは迷わないのですか？」

「ぼくはいつもこれをさせられているからね、きめてあるんだ」

まずスキッパーがまぜることになりました。火にかけたなべのアクをトマトさんがすくいとったあと、大きな木べらをわたされました。

スキッパーは、トマトさんの説明をきいたときにもう、ひとつはきめていました。ポアポアに芽が出た日のことです。みんながやってきたときのこと

を思い出しながらまぜました。思い出しているだけでしあわせになりました。

つぎつぎに順番をかわりました。だれもがまぜているとき、目をとじて、しあわせそうな顔をしていました。ギーコさんも、です。

一度めを全員がまぜると、ポアポアはすっかり種と実がはなれてしまったので、トマトさんは種をとりだしました。ずいぶんなかみがへったようにみえました。スキッパーは、いまここにいないマサカが、なめるとあまい味がするといったのを思い出しました。

それを思い出したせいでしょうか、二度めをなににしようか迷っていたのですが、雪の森でナルホドとマサカに助けてもらったことを思いうかべながらまぜることにしました。

三度めはいよいよ迷いました。花がさいてみんながやってきたときのことにしようかと思いました。けれどそれは芽が出たときとちがって、みんなばらばらにやってきたので、ひとつのことではないのです。ひとつのはっきりした場面でなければいけないような気がしました。では、どの場面をえらべばいいのでしょう。

アップルとレモンがパイをつくってもってきたのを、ポアポアの花の下で食べたときなど、ふたりのひっきりなしのおしゃべりも、はじめてのときとちがってたのしくきけたものです。

トワイエさんがやってきて、スキッパーの読んだ本をトワイエさんも読んでいて、本の話をしたときも、同じところが好きだったりして、とてもたのしい時間でした。

ギーコさんがこっそりやってきて、花をみて、こっそり帰っていくのを窓からみつけたときも、なんだかうれしくなりました。

考えてみると、みんなでポアポアをうえてからというもの、ずっとスキッパーはたのしかったような気がします。どれにするか、ほんとうに迷いました。順番がまわってくるまで、迷いつづけました。そして三度めの木べらをわたされたとき、とつぜん心にうかんだ場面がありました。それにきめました。

八人が三度ずつまぜて、ポアポアのジャムはできあがりました。あとはさまして、びんにつめればいいのです。びんはちゃんと洗ってあります。

そこでお茶になりました。紅茶に、まだ熱いポアポアのジャムをいれてのもうということになりました。

いったいどんな味のお茶でしょう。みんなは、わくわくしながら、長いテーブルの席につきました。お茶がはいって、熱いジャムがひとさじずついれられて、スプーンでかきまぜます。

みんなの用意ができて、うなずきあったあと、だれもが目をとじて、ひと口すすりました。なんて、なんておいしいのでしょう。あまくて、さわやかで、まろやかで、しあわせで。のどを通りすぎていくとき、スキッパーは芽が出た日のことを、どうしても顔がわらいだしてしまったときのことを、はっきり思い出しました。

　ふた口めをすすると、雪の森で笛がきこえてきたときのことを思い出しました。笛の音まではっきりと、です。そしてたき火をかこんでの食事まで思い出してしまいました。あのふたりがいつかやってきたら、ポアポアのジャムをごちそうしなくちゃと思いました。

　そして三口めをすすると、三度めにかきまぜたときに思いうかべていたこと、ポアポアの花がさいて、いろんなひとがやってきてウニマルでお茶をのんで帰ったあと、ひとり書斎で本を読んだり化石や貝をみたりするときのゆったりとした気分、それがほっこりとからだのなかにひろがりました。

　そして、そっと目をあけると、だれもが目をとじてほほえみながら、お茶のカップをかかえているのが、スキッパーにはみえました。

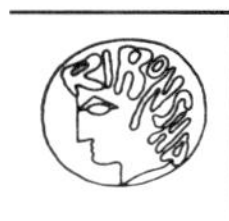

こそあどの森の物語①
ふしぎな木の実の料理法

NDC913
A5判　22cm　192p
1994年12月 初版
ISBN4-652-00611-X

岡田 淳（おかだ・じゅん）

1947年兵庫県に生まれる。神戸大学教育学部美術科を卒業後、38年間小学校の図工教師をつとめる。
1979年『ムンジャクンジュは毛虫じゃない』で作家デビュー。
その後、『放課後の時間割』（1981年日本児童文学者協会新人賞）
『雨やどりはすべり台の下で』（1984年産経児童出版文化賞）
『学校ウサギをつかまえろ』（1987年日本児童文学者協会賞）
『扉のむこうの物語』（1988年赤い鳥文学賞）
『星モグラサンジの伝説』（1991年産経児童出版文化賞推薦）
『こそあどの森の物語』（１～３の三作品で1995年野間児童文芸賞、1998年国際アンデルセン賞オナーリスト）
『願いのかなうまがり角』（2013年産経児童出版文化賞フジテレビ賞）など数多くの受賞作を生みだしている。
他に『ようこそ、おまけの時間に』『二分間の冒険』『びりっかすの神さま』『選ばなかった冒険』『竜退治の騎士になる方法』『きかせたがりやの魔女』『森の石と空飛ぶ船』、絵本『ネコとクラリネットふき』『ヤマダさんの庭』、マンガ集『プロフェッサーPの研究室』『人類やりなおし装置』、エッセイ集『図工準備室の窓から』などがある。

作者　岡田 淳
発行者　鈴木博喜
発行所　株式会社 理論社
〒101-0062　東京都千代田区神田駿河台2-5
電話　営業 03-6264-8890
編集 03-6264-8891
URL　https://www.rironsha.com

2025年3月第64刷発行

装幀　はた こうしろう
編集　松田素子

岡田　淳の本

「こそあどの森の物語」

●野間児童文芸賞
●国際アンデルセン賞オナーリスト

～どこにあるかわからない“こそあどの森”は、すてきなひとたちが住むふしぎな森～

①ふしぎな木の実の料理法
　スキッパーのもとに届いた固い固い“ポアポア”の実。その料理法は…。

②まよなかの魔女の秘密
　あらしのよく朝、スキッパーは森のおくで珍種のフクロウをつかまえました。

③森のなかの海賊船
　むかし、こそあどの森に海賊がいた？　かくされた宝の見つけかたは…。

④ユメミザクラの木の下で
　スキッパーが森で会った友だちが、あそぶうちにいなくなってしまいました。

⑤ミュージカルスパイス
　伝説の草カタカズラ。それをのんだ人はみな陽気に歌いはじめるのです…。

⑥はじまりの樹の神話　●うつのみやこども賞
　ふしぎなキツネに導かれ少女を助けたスキッパー。森に太古の時間がきます…。

⑦だれかののぞむもの
　こそあどの人たちに、バーバさんから「フー」についての手紙が届きました。

⑧ぬまばあさんのうた
　湖の対岸のなぞの光。確かめに行ったスキッパーとふたごが見つけたものは？

⑨あかりの木の魔法
　こそあどの湖に恐竜を探しにやって来た学者のイツカ。相棒はカワウソ…？

⑩霧の森となぞの声
　ふしぎな歌声に導かれ森の奥へ。声にひきこまれ穴に落ちたスキッパー…。

⑪水の精とふしぎなカヌー
　るすの部屋にだれかいる…？　川を流れて来た小さなカヌーの持ち主は…？

⑫水の森の秘密
　森じゅうが水びたしに…原因を調べに行ったスキッパーたちが会ったのは…？

Another Story

こそあどの森のおとなたちが子どもだったころ　●産経児童出版文化賞大賞
ポットさんたちが、子どものころの写真を見せながら語る、とっておきの話。

Other Stories

こそあどの森のないしょの時間
こそあどの森のひみつの場所
　森のひとが胸の中に秘めている大切なできごと……それぞれのないしょの物語。

扉のむこうの物語　●赤い鳥文学賞
　学校の倉庫から行也が迷いこんだ世界は、空間も時間もねじれていました…。

星モグラ サンジの伝説　●産経児童出版文化賞推薦
　人間のことばをしゃべるモグラが語る、空をとび水にもぐる英雄サンジの物語。

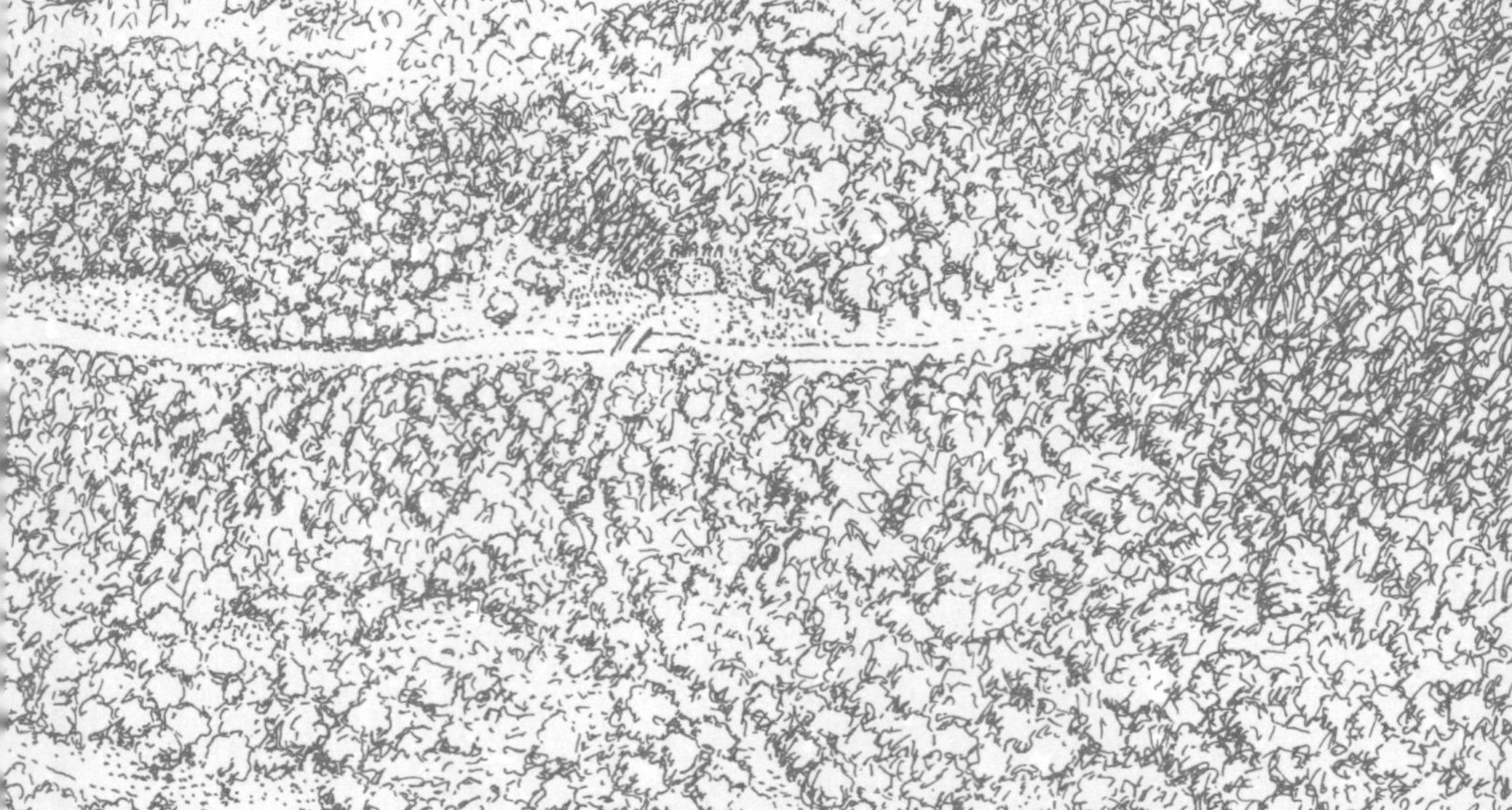